Cristelle Carenzi-Vialaneix, Catherine Metton
Annabelle Nachon, Fabienne Nugue

À propos A2
Livre de l'élève

Presses universitaires de Grenoble

Avant-propos

À propos est un ensemble pédagogique destiné aux grands adolescents et aux adultes. Il couvre une centaine d'heures d'apprentissage et se limite strictement au contenu linguistique et communicatif défini dans le niveau A2 du Cadre Européen Commun de Référence. Il permet de travailler toutes les compétences (lire, écrire, écouter, parler/interagir), traitées séparément, avec une dominante par page.

Cette méthode est composée de 8 dossiers thématiques comprenant chacun les 10 rubriques suivantes :

- **Pêle-mêle :** présentation ludique du lexique grâce à une constellation de mots. Les noms sont accompagnés d'un astérisque qui indique leur genre (*rose : féminin, *bleu : masculin) ;
- **Qu'est-ce que c'est ? :** documents écrits variés à observer et à imiter ;
- **Qu'est-ce qu'ils disent ? :** documents sonores variés avec activités de compréhension ;
- **Comment le dire ? :** bribes de conversations de la vie quotidienne à écouter et à imiter ;
- **Échanges :** questions à se poser dans la classe et enregistrements de dialogues faits sur le vif ;
- **Jeux de rôles :** situations quotidiennes à mettre en scène à partir de déclencheurs variés ;
- **Sons et lettres :** sons en opposition, souvent en rapport avec un point grammatical du dossier, intonation ;
- **Le savez-vous ? :** informations culturelles avec objectif interculturel, nombreux textes accessibles au niveau A2 ;
- **Rencontre avec... :** découverte d'un parcours professionnel et d'informations insolites en rapport avec le thème du dossier ;
- **Faisons le point :** jeu en équipe pour réviser et vérifier ses connaissances.

À la fin de l'ouvrage se trouvent :
- la transcription des enregistrements ;
- un précis de phonétique ;
- un précis grammatical avec les règles de grammaire et les tableaux de conjugaison ;
- un mémento des actes de parole ;
- le tableau des contenus ;
- le CD contenant l'enregistrement de **tous** les documents.

Achevé d'imprimer en France sur les presses de Présence Graphique - 2, rue de la Pinsonnière - 37260 Monts
N° d'imprimeur : 011034223 - Dépôt légal : janvier 2010

Conception graphique : studio Bizart – bizart.design@wanadoo.fr
Illustrations : Serge Cecconi

Mode d'emploi

Compétences travaillées

Point de langue

Renvoi aux précis ou au mémento

Renvoi au *Cahier d'exercices* (exercices requis)

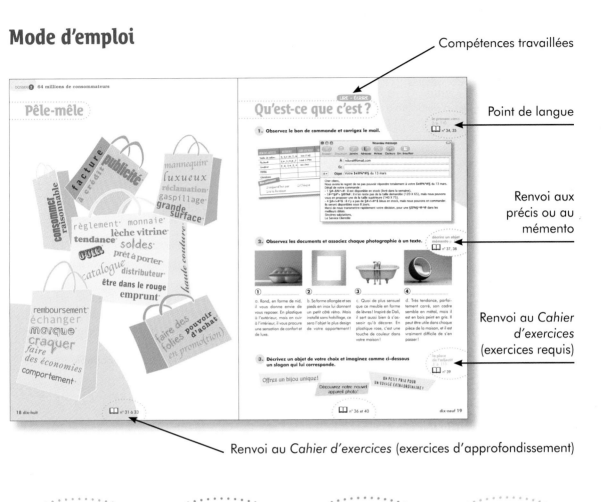

Renvoi au *Cahier d'exercices* (exercices d'approfondissement)

Grammaire · Vocabulaire · Communication · Phonétique

Cette présentation aérée permet :
- de mettre en avant les documents et les activités à faire en classe ;
- d'optimiser l'utilisation du précis grammatical et du mémento des actes de parole ;
- de faire du cahier d'exercices un véritable outil d'application.

L'évaluation, outre la partie *Faisons le point*, est présente dans le Cahier d'exercices avec un portfolio et un exemple d'épreuve du DELF niveau A2 du Cadre Européen Commun de Référence, rédigé par un centre agréé, pour s'entraîner dans les conditions réelles de l'examen.

DANGER

LE PHOTOCOPILLAGE TUE LE LIVRE

© Presses universitaires de Grenoble, février 2010
BP 47 – 38040 Grenoble Cedex 9
Tél.: 04 76 82 56 52 – Fax: 04 76 82 78 35
pug@pug.fr / www.pug.fr
ISBN 978-2-7061-1569-1

Dans le catalogue FLE des PUG

MÉTHODES

Je lis, j'écris le français
Méthode d'alphabétisation pour adultes
M. Barthe, B. Chovelon, 2004
Livre de l'élève – Cahier d'autonomie

Je parle, je pratique le français
Post-alphabétisation pour adultes
M. Barthe, B. Chovelon, 2005
Livre de l'élève – Cahier d'autonomie

À propos A1
C. Andant, C. Metton, A. Nachon, F. Nugue, 2009
Livre de l'élève (CD inclus) – Guide
pédagogique – Cahier d'exercices (CD inclus)

À propos A2
Cristelle Carenzi, Catherine Metton, Annabelle
Nachon, Fabienne Nugue, 2010
Livre de l'élève (CD inclus) – Guide
pédagogique – Cahier d'exercices (CD inclus)

À propos B1-B2
C. Andant, M.-L. Chalaron, 2005
Livre de l'élève – Livre du professeur –
Cahier d'exercices – Coffret 2 CD audio

GRAMMAIRE ET STYLE

Présent, passé, futur
D. Abry, M.-L. Chalaron, J. Van Eibergen
Manuel avec corrigés des exercices, 1987

La grammaire autrement
M.-L. Chalaron, R. Rœsch
Manuel avec corrigés des exercices, 1984

La grammaire des premiers temps
Volume 1 : niveaux A1-A2, 2000
Volume 2 : niveaux A2-B1, 2003
D. Abry, M.-L. Chalaron
Manuel – Corrigés des exercices avec
la transcription des enregistrements du CD – CD

L'Exercisier (avec niveaux du CECR)
Manuel d'expression française
C. Descotes-Genon, M.-H. Morsel, C. Richou, 2010
Manuel – Corrigés des exercices

L'expression française écrite et orale
Ch. Abbadie, B. Chovelon, M.-H. Morsel, 2003
Manuel – Corrigés des exercices

Expression et style
M. Barthe, B. Chovelon, 2002
Manuel – Corrigés des exercices

VOCABULAIRE ET EXPRESSION

Livres ouverts
M.-H. Estéoule-Exel, S. Regnat Ravier, 2008
Livre de l'élève – Guide pédagogique

Dites-moi un peu
Méthode pratique de français oral
K. Ulm, A.-M. Hingue, 2005
Manuel – Guide pédagogique

Émotions-Sentiments
C. Cavalla, E. Crozier, 2005
Livre de l'élève (CD inclus) – Corrigés des exercices

Le français par les textes
I : niveaux A2-B1, 2003
II : niveaux B1-B2, 2003
Corrigés des exercices I, 2006
Corrigés des exercices II, 2006
M. Barthe, B. Chovelon, A.-M. Philogone

Lectures d'auteurs
M. Barthe, B. Chovelon, 2005
Manuel – Corrigés des exercices

Le chemin des mots
D. Dumarest, M.-H. Morsel, 2004
Manuel – Corrigés des exercices

CIVILISATION

La France au quotidien (3e éd.)
R. Rœsch, R. Rolle-Harold, 2008

Écouter et comprendre la France au quotidien
(CD inclus)
R. Rœsch, R. Rolle-Harold, 2009

La France des régions
R. Bourgeois, S. Eurin, 2001

La France des institutions
R. Bourgeois, P. Terrone, 2004

FRANÇAIS SUR OBJECTIF SPÉCIFIQUE

*Le français des médecins. 40 vidéos
pour communiquer à l'hôpital* (DVD-ROM inclus)
T. Fassier, S. Talavera-Goy, 2008

Le français du monde du travail (nouvelle édition)
E. Cloose, 2009

Les combines du téléphone fixe et portable
(nouvelle édition, CD inclus)
J. Lamoureux, 2009

Le français pour les sciences
J. Tolas, 2004

ENTRAÎNEMENT AUX EXAMENS

Lire la presse
B. Chovelon, M.-H. Morsel, 2005
Manuel – Corrigés des exercices

Le résumé, le compte rendu, la synthèse
Guide d'entraînement aux examens et concours
B. Chovelon, M.-H. Morsel, 2003
Manuel avec corrigés des exercices

Cinq sur cinq A2
Évaluation de la compréhension orale au niveau A2
du CECR (CD inclus)
Rosalba Rolle-Harold, Caroline Spérandio, 2010

Cinq sur cinq B2
Évaluation de la compréhension orale au niveau B2
du CECR (CD inclus)
R. Rœsch, R. Rolle-Harold, 2006

DIDACTIQUE & ORGANISATION DES ÉTUDES

*Cours de didactique du français langue étrangère
et seconde* (2de éd.)
J.-P. Cuq, I. Gruca, 2005

*Nouvelle donne pour les Centres universitaires
de français langue étrangère*
ADCUEFE, 2004

Diplômes universitaires en langue et culture françaises
ADCUEFE, 2004

*L'enseignement-apprentissage du français langue
étrangère en milieu homoglotte*
ADCUEFE, 2006

Au fil du temps

➤ DANS CE DOSSIER

Vous allez aborder ces domaines:
> Les générations
> Le sport et la santé
> L'évolution de la société

Vous allez apprendre à:
> Approuver ou désapprouver un comportement
> Féliciter
> Exprimer la possession

Vous allez utiliser:
> Le présent
> Les prépositions et les verbes
> Les pronoms possessifs
> Les verbes réciproques

Et aussi découvrir:
> Une profession : psychologue

Pêle-mêle

mamie* vieillesse*
se confier
s'opposer
insouciant*
autorité*
paternel élever
rajeunir ado* bébé* GRANDIR
naître descendance*
câlins*
responsable solitude* conflit de génération*
transmettre
partager s'amuser
SAGESSE*
MAJEUR
décès trentenaire
gronder jeune
bêtises*
personnes âgées* retraité*

n° 1 à 3

Qu'est-ce que c'est ?

LIRE - ÉCRIRE

le présent
12. p. 113

📖 n° 4 à 6

1. **Lisez les services proposés par ce site et dites qui peut en avoir besoin parmi les personnes ci-dessous.**

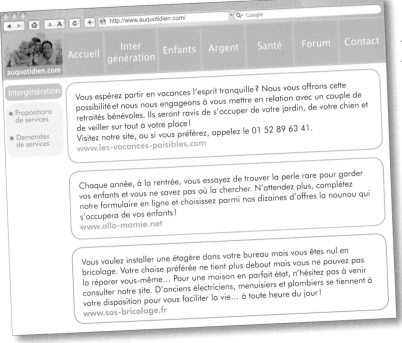

→ une mère de trois enfants

→ les propriétaires d'une villa

→ un couple de jeunes cadres

http://www.auquotidien.com/

Accueil | Inter génération | Enfants | Argent | Santé | Forum | Contact

auquotidien.com

Intergénération

● Propositions de services

● Demandes de services

Vous espérez partir en vacances l'esprit tranquille ? Nous vous offrons cette possibilité et nous nous engageons à vous mettre en relation avec un couple de retraités bénévoles. Ils seront ravis de s'occuper de votre jardin, de votre chien et de veiller sur tout à votre place !
Visitez notre site, ou si vous préférez, appelez le 01 52 89 63 41.
www.les-vacances-paisibles.com

Chaque année, à la rentrée, vous essayez de trouver la perle rare pour garder vos enfants et vous ne savez pas où la chercher. N'attendez plus, complétez notre formulaire en ligne et choisissez parmi nos dizaines d'offres la nounou qui s'occupera de vos enfants !
www.allo-mamie.net

Vous voulez installer une étagère dans votre bureau mais vous êtes nul en bricolage. Votre chaise préférée ne tient plus debout mais vous ne pouvez pas la réparer vous-même… Pour une maison en parfait état, n'hésitez pas à venir consulter notre site. D'anciens électriciens, menuisiers et plombiers se tiennent à votre disposition pour vous faciliter la vie… à toute heure du jour !
www.sos-bricolage.fr

approuver/
désapprouver
mémento p. 122

📖 n° 9

2. **Lisez la lettre et faites la liste des comportements que le téléspectateur désapprouve.**

COURRIER DES LECTEURS

Permettez-moi de réagir au reportage que j'ai vu hier sur votre chaîne à propos du retour de l'autorité dans l'éducation. C'est totalement scandaleux de voir des parents être aussi sévères avec leurs enfants. Comment peuvent-ils les gronder toute la journée et donner des fessées à leurs petits ? Mais enfin, ne savent-ils donc pas communiquer et expliquer les choses ? Je ne comprends vraiment pas comment ils en sont arrivés là ! Je pensais que ce type d'éducation était fini ! Et ce père qu'ils ont montré, qui demandait à son fils de 8 ans de lui dire «vous». Ce n'est vraiment pas normal ! Je suis vraiment choqué par ce que j'ai vu et j'espère que la majorité des parents d'aujourd'hui n'utilisent pas ces méthodes d'une autre époque !

Cordialement
Laurent G. (Toulouse)

féliciter
mémento p. 122

📖 n° 10

3. **Écrivez un mail pour féliciter la personne qui a réagi dans le courrier des lecteurs ci-dessus.**

📖 n° 7 et 8

Qu'est-ce qu'ils disent ?

ÉCOUTER

4. **Écoutez le dialogue et dites qui a fait le test suivant : Cédric ou le père de Cédric ?**

> **Quel âge avez-vous réellement ? Encore ado ou déjà sénior ?**
> Pour le savoir, faites notre test !

1 **Quel est votre style vestimentaire ?**
- ☐ très tendance
- ☒ élégant
- ☐ décontracté et confortable

2 **Votre alimentation se compose essentiellement :**
- ☐ de produits surgelés
- ☐ de produits gras et sucrés
- ☒ de produits bio

3 **Quand vous avez envie de vous amuser :**
- ☐ vous sortez au resto avec des amis
- ☒ vous regardez un DVD
- ☐ vous allez danser jusqu'au bout de la nuit

4 **Combien de temps par jour passez-vous sur Internet ?**
- ☒ je ne me connecte pas tous les jours
- ☐ de 30 mn à 2 h
- ☐ plus de 2 h

5 **Les personnes qui se rencontrent sur Internet :**
- ☐ vous trouvez ça génial, il faut vivre avec son temps
- ☐ vous essayez de comprendre mais ça vous dépasse
- ☒ vous pensez que c'est très dangereux

6 **Pour vos vacances, vous rêvez de :**
- ☐ lézarder au soleil
- ☒ faire de l'escalade en montagne
- ☐ sortir tous les soirs en boîte

7 **Au feu rouge, un enfant dans une voiture vous tire la langue :**
- ☐ vous le laissez faire, c'est de son âge
- ☒ vous pensez qu'il n'a vraiment aucune éducation
- ☐ vous commencez à faire un concours de grimaces

8 **Les hommes et les femmes doivent partager les tâches ménagères :**
- ☐ Oui, bien sûr !
- ☒ Pourquoi pas...
- ☐ Jamais de la vie !

les préposition
et les verbes
13. p. 114
📖 n° 11 à 13

les pronoms
possessifs
1. p. 110
📖 n° 14, 15

5. **Écoutez et retrouvez sur les dessins les grands-parents de Benoît et ceux de Sarah.**

①

②

6. **Écoutez le dialogue et entourez sur le dessin les enfants dont Baptiste parle.**

les verbes
pronominaux
réciproques
14. p. 114

📖 n° 16 à 18

7. **Retrouvez quelle ordonnance correspond à chaque dialogue.**

la santé
📖 n° 20, 21

a. Dialogue ......

b. Dialogue ......

CABINET MÉDICAL DU RABOT
MÉDECINE GÉNÉRALE
9, rue Antoine Duval – 34000 Montpellier

Dr Claude SABLON
De la faculté de médecine de Montpellier
Ancien interne des Hôpitaux de Paris   Montpellier, le 14 décembre 2009

Faire pratiquer à l'enfant Julien Varin (24 mois)
des soins de kinésithérapie respiratoire
à domicile si nécessaire

Dr Dominique LEROUX
MÉDECINE GÉNÉRALE
TRAUMATOLOGIE DU SPORT

C.E.S DE MÉDECINE DU SPORT
D.U. DE TRAUMATOLOGIE DU SPORT (PARIS VI)

14, AVENUE DU MAINE   Paris, le 17 mars 2010
79007 PARIS

Pour le patient M. Lilian Parvis

Faire pratiquer une radiographie de l'avant-bras droit

Dr Michel SERVAN
13, av. de l'Aurore - 24100 Bergerac

Bergerac, le 19 janvier 2010

Sophie Blanc
née le 24 mai 1973

SPASFON® : 1 comprimé par jour le matin, à midi,
et le soir pendant les repas – 5 jours

Dr Mireille CAVALLA
MÉDECINE GÉNÉRALE
11 RUE DE BREST
69005 LYON
TÉL. : 04 78 96 52 32

Lyon, le 27 novembre 2009

M. Bertrand FAYARD
né le 13/12/1942

Faire pratiquer une prise de sang après
un jeûne de 12 heures :
- glycémie
- cholestérol total et cholestérol HDL
- triglycérides

d. Dialogue ......

c. Dialogue ......

📖 n° 19 et 22

PARLER - INTERAGIR

Comment le dire ?

mémento
p. 122

8. **Écoutez et jouez les dialogues suivants.**
6

– Coucou mamie,
on est là ! Tu viens ?
– Oh mes petits cœurs.
Vous êtes là ? Je ne vous
avais pas vus…

Accueillir

– Olivier, oui, j'avais oublié… Ne restez donc pas debout comme cela. Prenez un fauteuil. Vous n'avez pas froid ? Voulez-vous que je ferme la fenêtre ? [...] Une cigarette ? [...]
– Volontiers.

Gide, *Les faux monnayeurs*, Folio, p. 44

Interpeller

– Bonjour ma puce. Ça va, tu as bien dormi ?
– Oh non, pas bien. J'ai fait un cauchemar.

– Dis 'pa, tu peux me donner 5 € s'il te plaît ?
– J'ai plus d'argent, demande à ta mère !

Échanges

9. **Discutez entre vous.**
7

LA JOURNÉE MONDIALE
DE L'ENVIRONNEMENT

PENSONS AUX GÉNÉRATIONS FUTURES

ON A ACHETÉ UN CAMÉSCOPE POUR FILMER LES MERVEILLES QUE TU NE VERRAS JAMAIS

LASSERPE.

1. Combien de générations vivent sous le même toit chez vous ?
2. Connaissez-vous ou avez-vous connu vos arrière-grands-parents ?
3. Quels secrets confiez-vous à votre mère ?
4. Vos parents vous font-ils confiance ?
5. Avez-vous eu des conflits avec vos parents à l'adolescence ?
6. Avec quelle personne de votre famille vous entendez-vous le mieux ?
7. Est-ce que les personnes âgées travaillent après la retraite dans votre pays ?
8. À quels jeux jouent les enfants dans votre pays ?
9. Accepteriez-vous de prêter votre logement à quelqu'un que vous ne connaissez pas ?
10. Attendez-vous le dernier moment pour aller chez le docteur ?
11. Donnez-vous votre sang ?
12. Êtes-vous pour ou contre le don d'organes ?

Jeux de rôles

10. **Choisissez une situation, préparez un dialogue et jouez-le.**

Situation 1 Vous êtes grippé(e) et vous allez chez le médecin.
Il vous pose des questions et vous décrivez vos symptômes.

Situation 2 Vous discutez à propos du dessin ci-contre : l'un de
vous désapprouve l'attitude du professeur, et l'autre l'approuve.

Sons et lettres

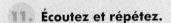

11. **Écoutez et répétez.**

8

1. espérer	j'espère	nous espérons
2. acheter	j'achète	nous achetons
3. jeter	je jette	nous jetons
4. appeler	j'appelle	nous appelons
5. préférer	je préfère	nous préférons
6. essayer	j'essaie	nous essayons

phonétique
p. 108

n° 23 à 25

12. **Écoutez et dites si le verbe entendu est au singulier ou au pluriel.**

9

	1.	2.	3.	4.	5.
Singulier					
Pluriel					

13. **Écoutez et cochez la phrase que vous entendez.**

1. ❏ Les miens habitent là.   ❏ Les miennes habitent là.
2. ❏ Elle retient tout.   ❏ Elles retiennent tout.
3. ❏ Dominique est musicien.   ❏ Dominique est musicienne.
4. ❏ Mes amis sont italiens.   ❏ Mes amies sont italiennes.
5. ❏ Où sont les siens ?   ❏ Où sont les siennes ?
6. ❏ Fabien conduit bien.   ❏ Fabienne conduit bien.

LE SAVEZ-VOUS ?

Évolution de la société

14. Observez la frise chronologique et écrivez la date correspondant
à chaque photographie.

1944 Droit de vote des femmes

1975 Loi Veil (avortement)
Mixité de l'enseignement

Mai **68**

Apparition du terme «senior»

| 1945 | 1950 | 1960 | 1970 | 1980 | 1990 | 2000 | 2009 |

Baby boom

1974 La majorité passe à 18 ans

1983 L'âge de la
retraite passe à 60 ans

2000
Loi sur la parité

....

....

....

Les trentenaires

15. Lisez le texte et dites si vous partagez les valeurs et les attentes des trentenaires.

Le magazine Géo a interrogé 860 Français (de 30 à 39 ans) pour savoir qui ils étaient et comment ils voyaient le monde.

Ces trentenaires se définissent tout d'abord comme des gens solidaires, sérieux, ambitieux, et certains déclarent qu'ils se sentent désorientés.

Les trois valeurs les plus importantes pour eux sont, dans l'ordre, la famille, la liberté, la tolérance, et le progrès arrive en dernière position. Les trentenaires français sont heureux de vivre dans leur pays. Quand on les interroge sur leur rapport au voyage, neuf sur dix déclarent qu'ils sont déjà sortis du pays mais ils se sentent plus «connectés au monde» par Internet que par les voyages, la lit-

térature, la musique ou le cinéma. 45% d'entre eux déclarent qu'ils ne parlent couramment que leur langue maternelle, et on constate que les trentenaires se sentent français avant de se sentir citoyens du monde ou citoyens européens.

Parmi leurs attentes, on trouve en première position la découverte d'un vaccin contre le Sida, le respect international des Droits de l'homme et la disparition de la faim dans le monde. Les trentenaires sont inquiets pour l'environnement et craignent une évolution vers une société de plus en plus inégalitaire.

D'après un sondage Géo/CSA, mars 2009

Sport et famille

16. **Lisez le texte.**

C'est le nouveau petit prodige du football français : Madïn a déjà une technique incroyable. Certains recruteurs ont remarqué ses exploits sur Internet. Mais il n'a que 6 ans…

Il est vrai que la pratique d'un sport permet aux enfants de dépenser leur énergie, d'apprendre des règles et de les respecter, de développer l'esprit d'équipe et de prendre confiance en eux. C'est aussi une occasion pour les parents de valoriser leur enfant. Mais quand les parents exercent une trop grande pression, ou qu'ils projettent leurs rêves de carrière déçus sur leur enfant, les problèmes commencent… On se souvient de joueuses de tennis (Steffi Graf, Mary Pierce…) qui subissaient le comportement parfois incontrôlable de leur père-entraîneur. Cris, menaces, violences, on est bien loin de la relation privilégiée qui peut exister entre parent et enfant ou entraîneur et sportif. Philippe Schweitzer et sa fille Manon, nageuse de haut niveau, vivent une relation faite de confiance et d'encouragements. C'est lui qui lui donnait le bain quand elle était bébé et qui lui a ensuite appris à nager. Il est aujourd'hui son entraîneur, et aussi un père heureux.

Du sport pour tous les goûts

17. **Observez ces documents et dites quelles générations pratiquent ces sports dans votre pays.**

Pétanque

La pétanque est très appréciée des 35-49 ans mais permet aussi de rassembler toutes les générations pendant les vacances !

Kytesurf

Sport extrême à la mode, il connaît beaucoup de succès auprès des jeunes. Le Français Alex Caizergues, 31 ans, a battu en 2007 le record du monde de vitesse (88,47 km/h).

Natation synchronisée

Mélange de natation et de gymnastique, ce sport est ouvert aux hommes seulement depuis 2000.

Rallye

Ce sport automobile est ouvert à tous : aussi bien aux jeunes qu'aux plus âgés, et aux hommes qu'aux femmes !

Golf

Il faut dépenser environ 877 € en moyenne par an pour pouvoir pratiquer cette activité.

Foot

Sport n° 1 en France, il est accessible à tous. Beaucoup de Français se passionnent pour leurs clubs préférés.

RENCONTRE avec...
CAROLE, psychologue

REPÈRES

- 1993 : Diplôme d'enseignement universitaire général (DEUG) de psychologie
- 1995 : Licence (équivalent licence 3) de psychologie
- 1996 : Maîtrise (équivalent Master 1) de psychologie
- 1997 : Diplôme d'études supérieures spécialisées (DESS – équivalent Master 2) de psychologie clinique et pathologique
- 1997 : stage de 4 mois dans un institut médico-éducatif, travail avec des enfants et des adolescents.

Carole BERTHAUD
PSYCHOLOGUE-PSYCHOTHÉRAPEUTE
Tél : 06 13 55   2e ÉTAGE

INTERVIEW

– Carole, pouvez-vous nous parler de votre métier ? Qu'est-ce qui vous a poussée à devenir psychologue ?

– J'ai toujours eu envie d'aider les autres, mais aussi de les comprendre, alors je me suis dirigée vers des études de psychologie.

– En quoi consiste votre travail ?

– Je travaille principalement avec des adolescents délinquants en réinsertion. Quand ces jeunes, qui ont entre 14 et 18 ans, sortent de prison ou d'un centre d'éducation renforcé, ils ont besoin d'un suivi psychologique pour faciliter leur retour à une vie normale. Mon rôle est de les soutenir et de les accompagner, pour éviter qu'ils ne recommencent. Je reçois également les familles, ainsi que les travailleurs sociaux qui apportent aide et conseil aux jeunes et à leur famille.

– Et quel genre de problèmes ces jeunes rencontrent-ils ?

– Vous savez, aujourd'hui, on ne prend plus le temps de se parler, alors, parfois, dans les familles, la communication est difficile, et certains jeunes se comportent mal pour attirer l'attention de leurs parents.

– Est-ce que votre travail vous plaît ?

– Oui, énormément. C'est très enrichissant sur le plan des relations humaines. Et puis le travail n'est jamais le même : on écoute, on soigne, on conseille, on observe, etc. On doit s'adapter aux personnes qui sont en face de nous, c'est donc un travail très varié.

– Mais il y a certainement des aspects négatifs, j'imagine ?

– C'est vrai que parfois, c'est difficile parce qu'on est confronté à la maladie, la misère, la souffrance des gens et on n'a pas toujours la solution adaptée. Dans ces cas-là, on se sent impuissant et on est découragé. En plus, il y a beaucoup de situations d'urgence : il faut réagir vite. C'est très stressant !

– Aimeriez-vous travailler avec un autre type de public ?

– Oui, j'aimerais travailler davantage avec des enfants. Avec les petits, il s'agit d'abord de faire de la prévention. Il me semble qu'ils sont plus réceptifs et que la parole est plus efficace. Un psychologue se sent probablement plus efficace avec des enfants.

TÉMOIGNAGES

Peut-on aller chez le psychologue à tout âge ?

Bernard, 45 ans

Ce n'est pas un problème d'âge ! Ça ne sert à rien les psychologues. C'est juste un moyen de nous prendre de l'argent. Nous, quand on a des problèmes, on les règle entre nous.

Antoinette, 76 ans

Évidemment ! À la mort de mon mari, je me suis retrouvée seule après 40 ans de mariage. J'ai apprécié son aide, il m'a appris à gérer mes angoisses et à affronter mes peurs.

Maria, 32 ans

Oui, je crois. Moi, j'en ai vu un après la naissance de mon fils parce c'était un peu difficile après de retrouver une vie de couple… Ça nous a beaucoup aidés, mon mari et moi.

INSOLITE

La télé-confession

Vous avez des problèmes avec votre fille adolescente ? Contactez Pascal, le «grand frère» (sur la chaîne de télévision TF1) qui vous aidera à régler vos conflits. Vous n'avez plus d'autorité sur vos enfants de 4 et 6 ans ? Appelez Super Nanny (sur la chaîne de télévision M6), la nounou qui va remettre de l'ordre dans votre famille. Vous ne supportez pas les amis de votre mari ? Allez en discuter dans l'émission *Toute une histoire* (sur la chaîne de télévision France 2). Et la liste est longue… On peut se demander quelle est l'utilité de ces émissions, pour les personnes qui y participent comme pour celles qui les regardent. Des psychologues nous mettent en garde : «La télévision trompe le téléspectateur sur ce qu'est la réalité : les souffrances, les problèmes ont l'air d'être réglés en deux coups de cuillère à pot*» (Christophe André, psychiatre). «Il y a une exigence de spectacle de plus en plus grande. Quand le téléspectateur zappe* d'une image à une autre, il va s'arrêter sur l'image la plus spectaculaire, le témoignage le plus époustouflant*.» (Serge Hefez, psychiatre). La chaîne américaine CBS va plus loin en mettant des enfants dans une émission de télé-réalité : «Pas de parent, pas de prof, au milieu de nulle part». Mais jusqu'où la télé va-t-elle aller ?

Deux coups de cuillère à pot = rapidement et facilement *Zappe = change de chaîne* *Époustouflant = surprenant.*

QU'EN PENSEZ-VOUS ?

1. La télévision peut-elle aider à régler les problèmes familiaux ?
2. Consulter un psychologue pour régler les conflits parents-enfants : pour ou contre ?
3. «On a tous besoin d'un psy un jour ou l'autre». Qu'en pensez-vous ?

FAISONS LE POINT

Formez des **équipes** et répondez aux **questions.**

1 point

1. Citez trois sports d'équipe.
2. Mettez la phrase «Ils se disputent tous les jours» à la forme négative.
3. Peut-on dire : «J'ai mal à la tête»?
4. À quel mois de l'année est associé 1968?
5. Peut-on dire : «Hourra» pour interpeller quelqu'un dans la rue?

2 points

6. Est-il correct de dire : «Vous pouvez m'aider de corriger cette lettre, s'il vous plaît?»
7. Corrigez cette phrase : «Les siennes, ils sont rouges».
8. Placez l(es) accent(s) dans la phrase suivante : «Ils esperent vivre ensemble.»
9. Trouvez dans quel lieu se pratiquent les sports suivants : la natation, le tennis, l'athlétisme.
10. Que dites-vous à une personne qui vient de réussir son examen?

3 points

11. Conjuguez le verbe «s'inquiéter» au présent à toutes les personnes.
12. Transformez comme dans l'exemple suivant : Mon frère → le mien. Nos grands-parents → ....
13. Dites si les mots qui se terminent par «-ance» sont en général masculins ou féminins.
14. Écrivez deux mots utilisés pour désigner des personnes de plus de 60 ans.
15. Comment s'appelle le document que vous donne le médecin après la consultation?

4 points

16. Écrivez trois verbes qui sont suivis de la préposition «de».
17. Complétez la phrase suivante : «Ils .... par la main parce qu'ils sont amoureux.»
18. Lisez la phrase suivante à voix haute : «Tiens, c'est ce vaurien de Julien qui revient d'Amiens.»
19. Quel est le contraire de «Vous avez raison»?
20. Écrivez et prononcez le mot suivant : [psikolog].

64 millions de consommateurs

➤ DANS CE DOSSIER

Vous allez aborder ces domaines :
- > La consommation
- > L'argent et la banque
- > Les vêtements et la mode

Vous allez apprendre à :
- > Décrire un objet
- > Exprimer la comparaison
- > Évaluer une chose

Vous allez utiliser :
- > Le pronom « en »
- > Les adjectifs (place)
- > Le présent progressif
- > Le passé récent et le futur proche

Et aussi découvrir :
- > Une profession : maraîcher

Pêle-mêle

facture*

à crédit*

publicité*

mannequin*

luxueux

réclamation*

gaspillage*

grande surface*

consommer* raisonnable*

règlement* monnaie*

lèche vitrine*

tendance*

soldes*

CUIR*

prêt à porter*

catalogue*

distributeur*

être dans le rouge*

emprunt*

haute couture*

remboursement*

échanger

marque*

craquer*

faire des économies*

comportement*

faire des folies*

pouvoir d'achat*

en promo(tion)*

Qu'est-ce que c'est ?

le pronom «en»
2. p. 110
📖 n° 34, 35

1. Observez le bon de commande et corrigez le mail.

NOM DES ARTICLES	RÉFÉRENCE	CODE OU TAILLE	QU
Table de salon	5 3 2 8 7 6	120 X 65	
Fauteuil	5 4 3 9 8 7	L68 X P94	
Coussins	5 8 7 4 5 2	40 X40	
TOTAL			
Livraison			

Mon paiement

❏ aujourd'hui par ❏ Chèque
❏ à la livraison

Nouveau message

Envoyer   Discussion   Joindre   Adresses   Polices   Couleurs   Enr. brouillon

À : nduval@bmail.com

Cc :

Objet : Votre $€@%*#!§ du 13 mars

Cher client,
Nous avons le regret de ne pas pouvoir répondre totalement à votre $€@%*#!§ du 13 mars.
Détail de votre commande :
- 1 §#~&%^+# : il est disponible en stock (livré dans la semaine).
- 1#^*§#*+ §@!%# : il n'en reste pas de la taille demandée (120 X 65), mais nous pouvons vous en proposer une de la taille supérieure (140 X 75).
- 4 §#+!+#^$: il n'y a pas de §#+!+#^$ bleus en stock, mais nous pouvons en commander. Ils seront disponibles sous 8 jours.
Merci de nous transmettre rapidement votre décision, pour une §$!%§^@^@ dans les meilleurs délais.
Sincères salutations,
Le Service Clientèle

2. Observez les documents et associez chaque photographie à un texte.

décrire un objet
mémento p. 122
📖 n° 37, 38

① .... ② .... ③ .... ④ ....

a. Rond, en forme de nid, il vous donne envie de vous reposer. En plastique à l'extérieur, mais en cuir à l'intérieur, il vous procure une sensation de confort et de luxe.

b. Sa forme allongée et ses pieds en inox lui donnent un petit côté rétro. Mais installé sans habillage, ce sera l'objet le plus design de votre appartement !

c. Quoi de plus sensuel que ce meuble en forme de lèvres ! Inspiré de Dali, il sert aussi bien à s'asseoir qu'à décorer. En plastique rose, c'est une touche de couleur dans votre maison !

d. Très tendance, parfaitement carré, son cadre semble en métal, mais il est en bois peint en gris. Il peut être utile dans chaque pièce de la maison, et il est vraiment difficile de s'en passer !

3. Décrivez un objet de votre choix et imaginez comme ci-dessous un slogan qui lui corresponde.

la place
de l'adjectif
3. p. 110
📖 n° 39

Offrez un bijou unique !

Découvrez notre nouvel appareil photo !

UN PETIT PRIX POUR UN VOYAGE EXTRAORDINAIRE !

présent
progressif,
passé récent
et futur proche
15. p. 114

📖 n° 41 à 43

Qu'est-ce qu'ils disent ? *ÉCOUTER*

4. **Écoutez les dialogues et entourez les scènes correspondantes.**

la comparaison
21.a. p. 117

📖 n° 46 à 49

5. **Écoutez les dialogues et retrouvez à qui sont ces documents.**

→ Myriam – Maud – Alain – Éric

```
BIOCONSO
3 RUE MOLIÈRE
45000 – ORLÉANS

– PAIN AUX CÉRÉALES        1,10€
– RIZ COMPLET              2,35€
– CAROTTES                 1,50€
– MIEL DE PRODUCTEUR       3,80€

TOTAL TTC  8,75€
TVA
ESPÈCES SUR  10 €
RENDU MONNAIE: 1,25€

POINTS FIDÉLITÉ: 2 POINTS
24 MARS 2009

MERCI DE VOTRE VISITE
ET À BIENTÔT
```
①

```
=  CARTE BANCAIRE  =
Le 17 /04/ 2009 à 14:35
NÉOCOM
Centre commercial du Chêne
95300 Pontoise
625554237d

Montant:  159 EUR
Pour information:
1042,97 FRF
DÉBIT
TICKET CLIENT
À CONSERVER
```
②

Net Tel

15, avenue de la Libération
75005 Paris cedex 3

Pontoise, le 18 février 2009
Objet: résiliation de contrat de téléphone mobile

Madame, Monsieur,
Abonné à vos services depuis le 24 janvier 2008, je souhaite
aujourd'hui résilier mon contrat de téléphone mobile
«forfait 20 h» à 29 € par mois.
Mon contrat prendra donc fin à expiration du délai de
2 mois à réception de cette lettre conformément à l'article
n° 8 des condi... ...
...s dispositions
...re le prélèvement
...008
...mes sincères

③

CG **CRÉDIT GÉNÉRAL**

Payez contre ce chèque vingt-huit euros et quatre-vingt   à régler
exclusivement   €
dix cents   en euros

€ 2890€ —

à Miniprix

à Orléans   LE 24/03/09

Payable en France
45 ORLEANS
08254 658 05 063   MLLE MAUD TAVERNIER
Compte n°: 8433704511   36 RUE DES PINSONS
Chèque n°: 27754821   45000 ORLEANS

④

évaluer une chose
mémento p. 122

n° 54

6. **Écoutez le dialogue et dites quels vêtements choisit Maurice.**

   ①  ②   ③   ④

   ⑤ ⑥ ⑦ ⑧

le superlatif
21.b. p. 117

n° 55 à 58

7. **Écoutez la chronique de Mademoiselle Amélie.**
Quelle est, selon elle, la tenue :

 ①

 ②

 ④

a. la plus élégante : ………

b. la plus citadine : ………

c. la plus confortable : ……

d. la plus originale : ………

③

n° 44, 45,
et 50 à 53

PARLER - INTERAGIR

Comment le dire ?

mémento
p. 122

n° 59 à 61

15

8. **Écoutez et jouez les dialogues suivants.**

Demander des précisions

– Bonjour, je viens vous voir parce que j'ai reçu mon relevé de compte, et il y a des choses que je ne comprends pas.
– Oui, je vous écoute.
– Vous pouvez m'expliquer pourquoi cette somme a été débitée deux fois ?
– Montrez-moi, je vais vérifier.

Demander des informations

– Ça fait cinquante francs !
– Ho ho ! [...], c'est trop cher !
– C'est cher, mais c'est beau [...]. La commode est d'époque ! [...]
– Je le crois volontiers [...] Elle est certainement d'une époque, mais pas de la nôtre ! [...]
– Vous aimez tellement le moderne ?
– Ma foi [...], je n'achète pas ça pour un musée. C'est pour m'en servir.

Marcel Pagnol, *La gloire de mon père*, Presses Pocket, p. 83.

Faire une réclamation

– Bonjour, j'ai acheté cette étagère hier mais je vous la rapporte parce qu'il manque des pièces.
– Désolée, ce n'est pas ici. Adressez-vous au service après-vente au fond du magasin.

Échanges

16

9. **Discutez entre vous.**

1. Avez-vous un objet de grande valeur (sentimentale, financière) chez vous ? Décrivez-le.
2. Où préférez-vous faire vos achats (boutiques, grandes surfaces, brocantes, Internet) ?
3. Le lèche-vitrine est-il l'un de vos passe-temps favori ?
4. Pour faire vos courses, avez-vous une liste ? La respectez-vous ?
5. Quelle est, selon vous, la tenue idéale pour se sentir bien ?
6. Combien d'argent êtes-vous prêt(e) à dépenser pour acheter un cadeau à une personne que vous appréciez ?
7. Suivez-vous la mode ? Pourquoi ?
8. Attendez-vous les soldes pour acheter des vêtements ?
9. Avez-vous déjà fait «une folie» ? Laquelle ?
10. Quels sont vos «bons plans» pour dépenser moins ?
11. Avez-vous déjà regretté un achat ? Expliquez pourquoi.
12. Êtes-vous plutôt radin ou dépensier ?

Jeux de rôles

10. **Choisissez une situation, préparez un dialogue et jouez-le.**

Situation 1 Vous voulez ouvrir un compte à la banque. Pour demander des renseignements au banquier, utilisez les notes ci-contre. Pour jouer le banquier, utilisez la feuille de procédure.

Situation 2 À deux, vous allez dans une boutique choisir un cadeau d'anniversaire pour un ami commun. Vous n'arrivez pas à vous mettre d'accord. Argumentez et essayez de persuader votre ami.

RdV banque

- Papiers nécessaires pour ouvrir le compte ?
- Gratuité, somme minimum à verser ?
- Conditions d'utilisation du chéquier ?

CG Procédure ouverture de compte

Demander au client :
- Justificatifs : justificatif de domicile, facture, papiers d'identité.

Informer le client :
- Ouverture gratuite, pas de dépôt minimum.
- Informations sur le système du chéquier, le relevé de compte et le RIB.

Sons et lettres

phonétique
p. 108

n° 62, 63

17
11. **Écoutez les phrases suivantes et notez les liaisons.**

1. Désolée, il n'y en a plus.
2. Oui, nous en écrivons.
3. Elles en ont plusieurs.
4. Vous n'en utilisez pas ?
5. Tu en as ou tu n'en as pas ?
6. J'en ai un rouge.

12. **Écoutez et répétez.**

1. Aujourd'hui, la jupe longue est plus à la mode que la jupe courte.
2. Les prix chez Réductou sont plus intéressants qu'ailleurs.
3. Les femmes commandent plus en ligne que les hommes.
4. De nos jours, on utilise plus les cartes de crédit qu'avant.
5. Les produits achetés sur le marché sont plus frais que ceux disponibles en grande surface.

19
13. **Écoutez les phrases et cochez la transcription phonétique qui correspond.**

	[plys]	[ply]	[plyz]
1.			
2.			
3.			
4.			
5.			

LE SAVEZ-VOUS ?

Parlons d'argent

14. **Observez ces documents. Qu'en pensez-vous ?**

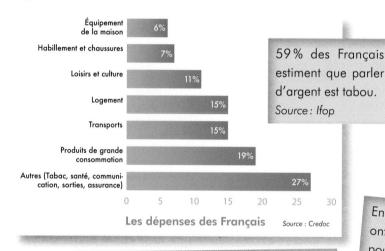

Équipement de la maison	6%
Habillement et chaussures	7%
Loisirs et culture	11%
Logement	15%
Transports	15%
Produits de grande consommation	19%
Autres (Tabac, santé, communication, sorties, assurance)	27%

Les dépenses des Français   *Source : Credoc*

59% des Français estiment que parler d'argent est tabou.
Source : Ifop

Entre 7 et 15 ans, la moitié des petits Français reçoivent en moyenne 23 € par mois d'argent de poche.
Source : Sondage CSA 2006

En 2008, en moyenne, les Français ont dépensé 310 € par personne pour jouer à des jeux d'argent.

1 Français sur 3 (32% des non retraités) «met régulièrement de l'argent de côté» pour préparer sa retraite.   *Les Échos, juin 2007*

Habillez-vous malin...

15. **Lisez le texte et expliquez comment vous faites pour vous habiller bon marché.**

À l'étranger, Paris est souvent considérée comme la capitale de la haute couture, du luxe et de la mode. On peut y trouver les couturiers les plus célèbres qui créent de véritables chefs-d'œuvre, souvent hors de prix. Si vous ne pouvez pas vous les offrir, vous pouvez toujours louer un sac Chanel et une robe Yves Saint-Laurent sur le Net pour de grandes occasions.

Certains grands couturiers réalisent aussi des collections de prêt-à-porter, beaucoup moins chères que les collections de haute couture car ces vêtements sont fabriqués en série, par des machines et non pas à la main. Aujourd'hui, la tendance est plutôt d'acheter malin. De nombreux concepts sont apparus : le *teatime troc* par exemple est une réunion où des amies apportent des vêtements qu'elles ne portent plus et les échangent autour d'une tasse de thé. Autre moyen de faire des affaires : les vide-greniers ou les brocantes où on revend et on trouve des vêtements d'occasion à tout petits prix. On peut également acheter des vêtements de marque chez les déstockeurs et les magasins d'usine qui proposent les collections des saisons précédentes. En ligne, les astuces ne manquent pas non plus : on peut télécharger un logiciel gratuit qui s'ouvre automatiquement dès que l'on surfe sur un site marchand. Il propose des codes de réduction. De quoi devenir «les rois de la débrouille» !

Le e-commerce

16. **Lisez le texte et faites à votre tour le portait de l'e-acheteur de votre pays.**

Les Français se mettent à l'e-commerce ! Après plusieurs années de méfiance face à ce nouveau mode de consommation, plus de 60% d'entre eux font maintenant confiance à l'achat en ligne. Ils étaient au total environ 22 millions de cyber-racheteurs en 2009 ! Les produits qu'ils achètent sont plutôt des biens culturels (livres, CD), des vêtements, de l'informatique et des voyages. Les sites d'achats préférés des Français sont ebay.fr, voyages-sncf.com, laredoute.fr et fnac.com.

Ce sont en général des hommes entre 25 ans et 50 ans, de catégorie socioprofessionnelle supérieure qui achètent en ligne, mais l'e-commerce a tendance à se généraliser, et les classes moyennes et les retraités sont de plus en plus nombreux à utiliser Internet pour leurs achats. Quels avantages trouvent-ils à Internet ? Le côté pratique, rapide, bien sûr, mais aussi les prix car ceux-ci sont souvent 20% à 30% moins chers qu'en magasin. Même s'ils n'achètent pas forcément, les Français consultent aussi beaucoup les sites des magasins pour avoir des informations avant d'aller effectuer leurs achats sur place. Internet leur sert aussi à comparer les prix et à avoir des avis de consommateurs grâce aux nombreux forums.

Attention contrefaçon

17. **Décrivez l'affiche et dites comment vous la comprenez.**

→ Les produits contrefaits proviennent pour 70% de l'Asie (Chine, Thaïlande, Corée, Taïwan, Singapour…) et pour 30% du bassin méditerranéen (Italie, Espagne, Tunisie, Turquie, Maroc…).

→ Un produit contrefait sur cinq fabriqué dans le monde est vendu en France.

→ 38 000 emplois sont supprimés en France chaque année (et 200 000 dans le monde) à cause de la contrefaçon.

RENCONTRE avec...
GILLES, maraîcher

REPÈRES

● Enfant, Gilles rend régulièrement visite à son oncle horticulteur.
● Passionné par ce travail, il commence des études d'horticulture et obtient son BEPA (Brevet d'Études Professionnelles Agricoles) en 1989.
● En 1990, il reprend la petite exploitation de son grand-père avec sa mère.
● Depuis trois ans, il travaille avec sa sœur, Christelle.
● En 2007, il décide d'intégrer le système des AMAP*.

*Association pour le maintien d'une agriculture paysanne.

INTERVIEW

– **Gilles, pouvez-vous nous dire en quoi consiste exactement votre travail ?**

– Oui, alors, je suis maraîcher, c'est-à-dire que je cultive des fruits et des légumes et je fais aussi de l'horticulture, des plantes et des fleurs.

– **C'est un métier difficile ?**

– Oui, parce qu'il n'y a pas d'horaires. Et je ne compte pas mes heures ! En plus, on dépend totalement de la météo et donc on ne peut pas toujours faire ce qu'on a prévu. Parfois, on doit attendre que l'orage passe…

– **Quel est le bon côté des choses alors ?**

– Oh, c'est d'être dehors, dans la nature. Et puis, on bouge sans arrêt et on ne fait jamais la même chose. Vous savez, je m'occupe de mon produit de A à Z, c'est donc très varié.

– **Vous vendez aussi votre production ?**

– Oui, tout à fait. En ce moment par exemple, je fais quatre marchés par semaine dans la région.

– **Vos produits sont bio ?**

– À 80% seulement. Mais les AMAP* me poussent un peu et je vais finir par arriver à 100% très bientôt.

– **Vous parlez des AMAP. Pouvez-vous nous expliquer ce que c'est ?**

– En fait, c'est une association qui met en relation directe les producteurs et les consommateurs. Les gens payent à l'avance un panier de fruits et légumes, ça permet au producteur d'avoir de l'argent d'avance et celui-ci leur fournit chaque semaine un panier de produits de saison.

– **Et qu'est-ce qui vous a poussé à faire partie de ce système ?**

– C'est venu petit à petit. Ça correspond assez bien à l'idée que j'avais de ma profession et ça m'a redynamisé aussi parce que maintenant, je suis obligé de fournir chaque semaine 110 paniers de 4/5 kilos, donc j'ai un peu la pression et j'aime bien ça !

– **Vous rencontrez régulièrement vos clients ?**

– Oui, sur les marchés évidemment. Et chaque fois que je livre les paniers au local d'une AMAP, je reste un peu pour voir les gens, expliquer mon travail et parler des produits. On a aussi fait, l'année dernière, des visites de l'exploitation pour que les gens se rendent compte de nos difficultés et découvrent nos produits. C'est très important pour établir une relation de confiance avec eux.

TÉMOIGNAGES

Pourquoi avez-vous choisi les AMAP ?

Ingrid, 29 ans

Je veux le meilleur pour mes enfants, et c'est une bonne manière d'avoir accès à des produits de bonne qualité à un prix raisonnable.

François, 36 ans

C'est très important pour moi de manger des produits de saison. Ça pollue moins. En plus, j'adore le contact direct avec le producteur, on est en confiance, c'est rassurant.

Sandrine, 48 ans

Pour moi, c'est un acte solidaire. Comme ça, j'aide directement le producteur, et il a toujours de l'argent même si la saison est mauvaise. En contrepartie, je mange sainement.

INSOLITE

Non à la surconsommation !

Surconsommer, jeter, gaspiller… Une partie des Français s'interroge sur le sens de la consommation. Ils en ont assez du gâchis et ont décidé de se détourner du superflu. Ils souhaitent consommer moins et, surtout, intelligemment. On les appelle «les décroissants». Certains doivent adopter ce nouveau mode de vie pour des raisons économiques, mais d'autres veulent vivre ainsi pour des raisons plus philosophiques (ces Français habitent en ville et gagnent bien leur vie). Leurs comportements sont divers : abandon de la voiture personnelle, colocation pour éviter les dépenses excessives d'énergie, troc de services entre voisins, achat de produits sans marque, récupération de fruits et légumes à la fin des marchés, dans les poubelles des supermarchés (on appelle ces personnes «les glaneurs»), achat de produits dans des magasins spécialisés dans la vente de produits proches de la date limite de consommation, etc. Les plus radicaux adoptent un comportement extrême : ils ont une activité professionnelle et une vie sociale et familiale, mais ils ont décidé de vivre hors du confort moderne, dans la forêt, dans une yourte (sorte de tente), sans l'eau courante, ni l'électricité…

QU'EN PENSEZ-VOUS ?

1. Jusqu'où êtes-vous prêt à aller pour éviter le gaspillage ?
2. Le mode de vie des décroissants est-il réaliste ?
3. Privilégiez-vous la qualité ou le prix d'un produit lors d'un achat ?

FAISONS LE POINT

Formez des équipes
et répondez aux questions.

1 point

1. Peut-on dire : «C'est un vieux fauteuil» ?

2. Complétez les phrases suivantes avec «mieux» et «meilleure» : «Nous aimons .... faire nos courses au marché.», «Les jouets en bois sont de .... qualité que les jouets en plastique.»

3. Devinette : «C'est un petit objet que l'on a dans son sac à main et qui contient de l'argent.» Qu'est-ce que c'est ?

4. Comment appelle-t-on la copie illégale d'un produit ?

5. Quel est l'animal qui symbolise le mieux le fait d'économiser pour les Français ?

2 points

6. Peut-on dire la phrase suivante : «Il est plus grand comme moi» ?

7. Écrivez l'expression contraire de «déposer de l'argent».

8. Citez trois modes de paiement.

9. Donnez deux astuces pour s'habiller bon marché.

10. Écrivez cinq mots associés au mot «mode».

3 points

11. Écrivez la phrase «Il en achète.» à la forme négative.

12. Les mots qui se terminent en «-ment» sont-ils masculins ou féminins ?

13. Transformez la phrase «Je travaille» au présent progressif.

14. «Vous avez de la monnaie ?» Mettez les mots de la réponse dans l'ordre : pas / ai / Non / n' / je / en / , / .

15. Écrivez deux noms de la même famille que le verbe «consommer».

4 points

16. Lisez la phase suivante à voix haute : «Des paninis, il n'y en a ni en Australie ni en Albanie.»

17. Écrivez la phrase suivante au masculin : «C'est la plus belle femme du monde.»

18. Lisez la phrase suivante à voix haute «Charlotte achète plus de plats cuisinés que Manon.»

19. Peut-on dire : «Nous venons arriver» ?

20. Peut-on dire : «Le jean est le plus confortable vêtement» ?

Médias.fr

➤ DANS CE DOSSIER

Vous allez aborder ces domaines :
> La presse
> La télévision
> L'informatique et Internet

Vous allez apprendre à :
> Exprimer une intention
> Parler de l'avenir

Vous allez utiliser :
> Le futur simple
> Les formes de la négation
> Les pronoms compléments

Et aussi découvrir :
> Une profession : animateur radio

Pêle-mêle

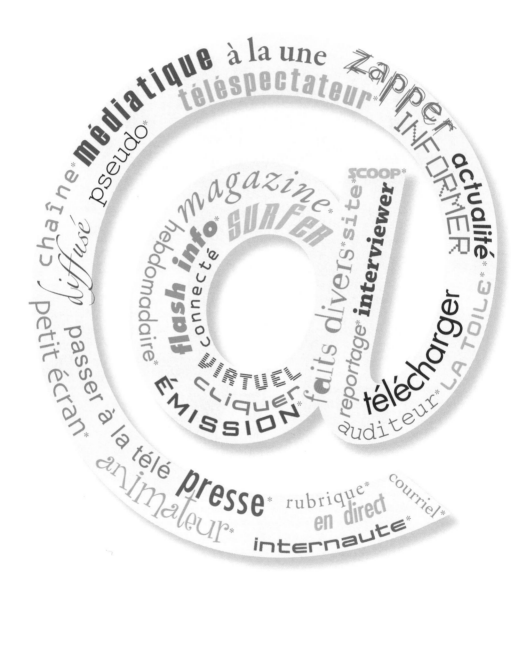

médiatique à la une zapper
téléspectateur INFORMER
chaîne * pseudo * actualité
diffusé magazine SCOOP à la toile
hebdomadaire flash info SURFER site * interviewer
connecté * faits divers * télécharger
petit écran VIRTUEL reportage auditeur LA TOILE
passer à la télé CLIQUER ÉMISSION
animateur presse * rubrique * courriel *
en direct
internaute

n° 67 à 69

Qu'est-ce que c'est ?

le futur et l'hypothèse sur le futur
16.a. p. 115
n° 70 à 73

1. **Lisez l'article puis donnez les avantages et les inconvénients du Aka Aki.**

> ### ➡ NOUVEAUTÉS
>
> Un nouveau phénomène nous arrivera bientôt d'Allemagne : le Aka Aki. Sous ce nom se cache un «petit frère» des réseaux sociaux comme Facebook qui vous permettra de savoir qui se trouve près de vous, dans la rue, grâce à votre téléphone portable. Des personnes s'inscriront au service Aka Aki, laisseront leur profil (leurs goûts, etc.) et, si elles se trouvent à moins de 10 minutes de marche de vous, un message sur votre portable vous signalera leur présence. Vous pourrez alors contacter ces personnes… ou non. Cette nouvelle façon d'entrer en communication avec d'autres posera certainement très vite, une fois encore, le problème de la confidentialité des données et celui du respect de la vie privée.

2. **Relevez le vocabulaire de l'informatique dans cet extrait de la chanson *L'informatique* du groupe Chanson Plus Bifluorée.**

L'informatique

Depuis que je fais de l'informatique
Je n'ai plus que des embêtements
Ah mon dieu quelle gymnastique
C'est pas tous les jours très marrant
Mais attendez que je vous explique
Tout ce qui cause mon tourment :

J'ai le Mac qui est patraque
Le PC déglingué
Le Pentium sans calcium
J'ai l'écran qui est tout blanc
Le disque dur pas bien dur
Le clavier tout bloqué
Le Modem qui a la flemme
L'imprimante bien trop lente

Extrait de *L'Informatique*, chanson du groupe **Chanson plus bifluorée** tirée de l'album : Chanson Plus Bifluorée : La Plus Folle Histoire de la Chanson, 2009 (CH+ Bif / EPM)

l'informatique
n° 75 à 77

3. **Sur le modèle de cette question posée sur un forum, imaginez d'autres demandes.**

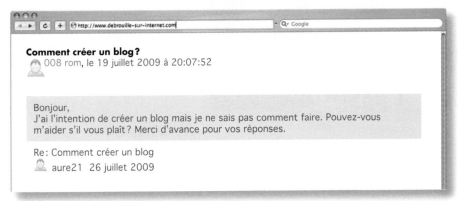

http://www.debrouille-sur-internet.com

Comment créer un blog ?
008 rom, le 19 juillet 2009 à 20:07:52

Bonjour,
J'ai l'intention de créer un blog mais je ne sais pas comment faire. Pouvez-vous m'aider s'il vous plaît ? Merci d'avance pour vos réponses.

Re : Comment créer un blog
aure21   26 juillet 2009

exprimer une intention
mémento p. 123
n° 79, 80

Qu'est-ce qu'ils disent ?

ÉCOUTER

4. Lisez la brochure, écoutez l'émission, puis conseillez les auditeurs à la place de Gérard Duffin.

20

la négation
22. p. 117

n° 81, 82

Offert par
votre médecin

Conseils
pour les parents perdus face...

À la télévision

● Certaines images peuvent choquer les enfants, c'est pourquoi vous ne devez jamais laisser votre enfant regarder une émission qui n'est pas adaptée à son âge. Pensez à vérifier la signalétique mise en place dans les programmes de télévision.

● Ne pas laisser non plus un jeune de moins de 12 ans seul face au journal télévisé. Certaines images violentes peuvent lui faire peur s'il ne les comprend pas: c'est à vous de lui expliquer le contexte, de donner du sens à ce qu'il voit, et il a besoin de vous pour parler de ses émotions.

Aux jeux vidéo

● Si vous constatez que votre ado se renferme sur lui-même, qu'il a du mal à communiquer, vous ne devez plus le laisser jouer plus de deux heures par jour sur sa console.

● S'il devient agressif et plus violent que d'habitude, vous devez lui expliquer qu'un jeu est virtuel et qu'il ne peut pas agir de la même façon dans le monde réel.

Aux discussions sur Internet
blogs, forums et chat

● Vous devez expliquer à vos enfants qu'il ne faut rien dire de trop personnel sur le Net car de nombreuses personnes mal intentionnées peuvent utiliser ces informations contre eux.

● De plus, personne ne peut diffuser des images ou vidéos de quelqu'un sans lui avoir demandé l'autorisation.

5. Écoutez chaque dialogue et dites à quel magazine il correspond.

21

la presse

n° 85 à 87

a.

b.

c.

d.

e.

Dialogue 1 : ....   Dialogue 2 : ....   Dialogue 3 : ....

Dialogue 4 : ....   Dialogue 5 : ....

les pronoms
compléments
4. p. 110

n° 88, 89

6. **Écoutez et retrouvez de qui ou de quoi on parle dans les légendes.**

1. Elle **lui** a dit oui.

2. Nadal **l'**a encore battu !

3. Johnny **leur** dira adieu au Stade de France.

4. Le premier ministre **les** reçoit à Matignon.

5. Les Français **la** subissent.

6. Les scientifiques vont **le** ramener dans sa réserve.

Phrase n° 1 : lui = ...

Phrase n° 2 : l' = ...

Phrase n° 3 : leur = ...

Phrase n° 4 : les = ...

Phrase n° 5 : la = ...

Phrase n° 6 : le = ...

la télévision

n° 90 à 92

7. **Écoutez et conseillez une émission à chaque personne.**

Notre rédaction a choisi pour vous...

Votre matinée

6h>6h30 Euronews *Infos*

06h30>9h05 Télématin *Culture-infos*

9h30>10h15 Destination beauté *Documentaire* Le bien-être

11h05>12h Secret Story *Télé-réalité*
Des candidats, qui vivent enfermés dans une maison, doivent protéger un secret personnel que les autres candidats doivent découvrir.

12h20>12h50 C'est positif *Magazine*

Votre après-midi

14h20>17h45 Cyclisme *Sport*
Tour de France. Bourgoin-Jailleu-Aubenas. (178 km)

15h15>16h45 Cent jours à Palerme (1984) *Film policier*

16h35>16h45 SOS maison *Magazine*
Un architecte d'intérieur vous aide à résoudre vos problèmes d'espace dans votre maison ou votre appartement.

17h45>19h C dans l'air *Magazine d'actualité* Quand le rap dérape

19h05>19h55 Une famille en or *Jeu*
Deux familles s'affrontent chaque soir.

Votre début de soirée

19h45>20h Six' *Infos*

20h10>20h35 Plus belle la vie
(saison 5, épisode 1267) *Série*
De nouveaux rebondissements dans la vie des habitants du quartier du Mistral, à Marseille. Nathan est toujours hospitalisé et Benoît n'apprécie pas beaucoup la relation de Mélanie avec Dominique.

mémento
p. 123

📖 n° 93,

PARLER - INTERAGIR

Comment le dire ?

8. **Écoutez et jouez les dialogues suivants.**

24

Engager / terminer une conversation

– Dis donc, tu n'as pas répondu à mon mail ?
– Oh, oui, c'est vrai… j'ai complètement oublié !
– Bon, ben… réponds-moi vite s'il te plaît !
– Ok, pas de problème. Bon, je te laisse, j'ai un rendez-vous.

Interroger sur un événement

– Qu'est-ce qui s'est passé ?
– Il y a eu un accident de voitures.
– Ça alors ! Il y a des blessés ?
– Non, heureusement, ce n'est pas trop grave.

Annoncer une nouvelle

– Louis, j'ai une grande nouvelle à vous annoncer…
Je ne travaille plus pour Béjardy… fini… […]
– Et qu'est-ce que vous allez faire ? […]
– Écoutez… je n'ai jamais été aussi heureux…

Modiano, *Une jeunesse*, Folio, p. 153

Échanges

9. **Discutez entre vous.**

25

1. Quels médias utilisez-vous pour vous informer ?
2. Combien d'heures par jour passez-vous devant un écran (télé, ordinateur, console de jeu…) ?
3. Pouvez-vous vivre sans Internet ?
4. À quoi vous sert votre ordinateur ? À travailler ? À jouer ? À surfer ?
5. Quelle rubrique d'un journal vous intéresse le plus ?
6. Êtes-vous abonné(e) à un magazine ?
7. Vous avez la possibilité de passer à la télévision. Quelle émission choisissez-vous ?
8. Quels sont pour vous les dangers de la télévision ?
9. De quel(s) sujet(s) ne parle-t-on pas dans la presse de votre pays ?
10. Y a-t-il des émissions de téléréalité dans votre pays ? Lesquelles ?

Jeux de rôles

10. **Choisissez une situation, préparez un dialogue et jouez-le.**

Situation 1 Vous avez été témoin du vol raconté dans l'article ci-contre. Vous rapportez cette histoire à un ami qui vous pose des questions (qui, quand, où, comment, pourquoi… ?).

> **SURPRISE!**
> Samedi dernier à Bordeaux, une jeune fille a volé le sac d'une vieille dame. Mais la vieille dame était championne de sprint dans sa jeunesse! Elle a rattrapé la jeune fille qui a abandonné le sac et s'est enfuie. La vieille dame, toujours en forme, a juste eu à ramasser son sac.

Situation 2 Vous êtes l'inventeur du robot ci-contre. Un journaliste vous interroge pour savoir à quoi il servira, comment on l'utilisera, en quoi il changera la vie quotidienne, etc. Utilisez le futur.

Sons et lettres

phonétique
p. 108

📖 n° 95 à 97

11. **Écoutez et répétez les phrases suivantes.**

26

1. Il travaillera dans l'informatique.
2. Je téléchargerai un film.
3. Nous nous abonnerons à un journal.
4. Les médias communiqueront les nouvelles.
5. Elle s'exprimera librement.

12. **Écoutez et répétez les phrases en respectant le rythme.**

Je t'enverrai un mail.
Je t'enverrai un mail, et tu me répondras.
Je t'enverrai un mail, tu me répondras, alors je te téléphonerai.
Je t'enverrai un mail, tu me répondras, alors je te téléphonerai, et on se parlera.

 13. **Écoutez et mettez une croix si vous entendez [ʀ] ou [l].**

28

	1.	2.	3.	4.	5.	6.
[ʀ]						
[l]						

LE SAVEZ-VOUS ?

Les Français et la presse

14. **Lisez cet article et comparez avec la situation de la presse dans votre pays.**

Le journal sportif *L'Équipe*, qui a longtemps été le quotidien français le plus lu, est passé, en 2007, derrière le journal *20 minutes*, distribué gratuitement dans le métro. Les Français lisent beaucoup la presse quotidienne régionale : les 66 quotidiens régionaux comptent 18 millions de lecteurs. La lecture d'un grand quotidien national donne habituellement des indications sur les idées politiques du lecteur. Ainsi, on lira plus souvent *Le Figaro* si on est de droite et *Libération* si on est de gauche. 97,2 % des Français lisent au moins un magazine par mois (presse féminine, magazines people, revues de voyages ou de cinéma…).

Les Français vont parfois chercher l'information sur Internet : ils consultent les sites des grands journaux français et ceux qui existent uniquement sur la Toile, comme *Mediapart*. Ils vont également sur d'autres sites de journaux, comme *Rue 89* ou *Média Citoyen.fr* qui proposent à chacun de devenir journaliste en publiant une information sous forme d'article, photo, dessin ou même vidéo.

Les Français et Internet

15. **Observez ces chiffres et comparez avec votre propre comportement d'internaute.**

64% des Français ont une connexion Internet chez eux ou au travail.

71% des internautes français ont acheté en ligne au cours des six derniers mois.

59% des 18-24 ans en France téléchargent de la musique.

4ᵉ C'est la place de la France dans le monde pour le nombre de blogs (après les États-Unis, la Chine et le Japon).

19% des internautes français sont inscrits sur Facebook.

Impertinence

16. Lisez le texte et dites si ce phénomène existe aussi dans votre pays.

Depuis le début du XIXe siècle, les médias français ont pris l'habitude de se moquer des hommes politiques et des personnalités. Dans la presse écrite, les caricaturistes* comme Plantu, Cabu et Charb les ridiculisent et commentent, à leur manière, l'actualité. Ils ont aujourd'hui leurs dessins à la une de journaux comme *Le Monde*, *Le canard enchaîné* ou *Charlie Hebdo*. Les médias sont parfois même à l'origine d'expressions : le président François Mitterrand était ainsi surnommé « Tonton » par les journalistes, et aujourd'hui ces derniers utilisent l'expression « Bling bling » quand ils parlent de Nicolas Sarkozy, pour montrer son goût pour l'argent.

Depuis 20 ans, à la télévision, les célébrités du monde politique, culturel ou sportif sont présentées sous la forme de marionnettes dans l'émission *Les guignols de l'info*. On dit même que cette émission très populaire influence le vote des Français ! Notre époque aime donc les humoristes qui caricaturent les célébrités mais certains sujets restent « délicats » ou « sensibles ». C'est actuellement à la radio que l'on entend les critiques les plus dures : c'est notamment le cas des chroniques de Stéphane Guillon.

Caricaturiste : personne qui exagère le portrait de quelqu'un.

La télévision des Français

17. Observez les documents suivants puis présentez le système de la télévision dans votre pays.

Chaînes publiques gratuites

Chaînes généralistes

arte

Chaînes privées

La TNT (télévision numérique terrestre) compte des chaînes gratuites, privées et publiques à la fois généralistes grand public, d'information, ou encore musicales. Une seule chaîne (Gulli) se consacre exclusivement à la jeunesse.

La télévision payante par satellite ou câble propose une offre illimitée de chaînes de tous pays.

RENCONTRE avec...
BILL DEBRUGE,
animateur radio

INTERVIEW

– Comment avez-vous commencé la radio ?

– Adolescent, j'étais fasciné par la puissance d'évocation de ces voix qui sortaient d'une toute petite boîte. Je trouvais ça magique ! J'ai eu la chance de travailler dans une petite radio locale associative en 1984, au moment où la bande FM s'est libérée, et ma vocation est née. La radio «libre», c'était fabuleux ! À 17 ans, j'ai commencé sur une antenne nationale.

– Avez-vous suivi une formation ?

– Non. Le seul avantage de faire une école, peut-être, c'est qu'elle ouvre les portes pour un stage.

– Une journée type à la radio, c'est quoi ?

– Je fais la tranche de 6h à 9h30 sur France Bleu Île-de-France. J'arrive à 3h20. Je me tiens au courant de l'actualité, je lis les dépêches de la nuit et mon conducteur. Ce document explique le déroulement précis de l'émission : l'heure de la pub, celle de mes interventions et celle des chroniqueurs, leur durée… Je m'informe sur le contenu des chroniques. Ensuite, je demande au technicien de trouver les sons qui vont accompagner mes interventions, et enfin je rédige.

– Vous arrivez à 3h20. C'est difficile ?

– Non, c'est une question d'habitude. Seulement, bien sûr, quand vous vous levez à deux heures du matin, votre vie sociale «souffre» un peu ! Mais ce métier m'offre beaucoup de compensations.

– Ce métier a évolué ?

– La radio a évolué, bien entendu. Les radios musicales ont perdu des auditeurs, surtout celles destinées aux jeunes. Le téléchargement, légal ou non, a changé la manière d'écouter de la musique. Les gens font leur propre programmation sur leur iPod® ! Les radios de contenus, elles, marchent toujours très bien. Les radios qui proposent des émissions sur l'actualité, des émissions culturelles, des services aux auditeurs… Dans mon émission, on informe les gens sur le trafic routier dans Paris le matin, et ce sont des informations capitales quand on est parisien ! Je me sens utile. Je suis au service des auditeurs et j'aime ça.

– Qui sont les auditeurs de France bleu ?

– Ils ont entre 30 et 60 ans. Ils travaillent en ville le plus souvent. Ce sont des «actifs urbains».

– Vos auditeurs peuvent vous contacter ?

– Oui, par mail évidemment, mais ils le font essentiellement par téléphone. Ils interviennent directement dans l'émission, qui est surtout la leur.

TÉMOIGNAGES

La radio et vous

Alex, 16 ans

Je n'écoute jamais la radio. La musique, je la télécharge. Parfois je l'achète et parfois non... Je l'écoute sur mon MP3, et comme ça, je choisis ce que je veux.

Daniel, 42 ans

Je me réveille avec la radio, et j'écoute toutes les stations, du matin au soir dans mon camion. Je suis chauffeur routier. Ma préférée ? *Rire et chansons*. Je rigole tout seul !

Victor, 67 ans

Comme la majorité des Français, j'écoute RTL. J'aime leur manière de traiter l'information, et ses animateurs font partie de mon quotidien depuis 25 ans.

INSOLITE

Légendes urbaines

Le saviez-vous ? Si vous portez souvent un chapeau, vous allez devenir chauve. Heureusement, si vous coupez vos cheveux une nuit de pleine lune, ils repousseront plus vite. Il se passe d'ailleurs beaucoup de choses les nuits de pleine lune. Il y a plus de naissances et... plus de crimes ! Et si vous sortez le soir à Paris ou à New York, faites très attention : des crocodiles vivent dans les égouts et sortent la nuit pour chasser. Méfiez-vous également de ce que vous mangez. Si vous aimez les sodas et les bonbons acidulés, ne les consommez surtout pas en même temps car vous risquez de mourir : une réaction chimique explosive va se produire dans votre estomac !

Mais, ne vous inquiétez pas ! Bien sûr, tout cela est faux. Ce ne sont pas des informations mais des légendes urbaines, des histoires que les gens répètent sans savoir d'où elles viennent, et sans avoir vérifié si elles sont vraies. Elles ont toujours existé, mais grâce à la multiplication des moyens de communication comme Internet, leur diffusion s'est bien entendu considérablement accélérée !

QU'EN PENSEZ-VOUS ?

1. Certains pensent que quelques légendes urbaines sont vraies. Et vous ? Pourquoi ?
2. Est-ce que les informations de la presse écrite sont plus fiables que les informations sur Internet ?
3. Avec les nouvelles technologies, tout le monde peut devenir journaliste. Qu'en pensez-vous ?
4. « Il est normal de télécharger illégalement de la musique ou des films quand on n'a pas les moyens de les acheter. » Partagez-vous cette opinion ?

FAISONS LE POINT

Formez des équipes et répondez aux questions.

1 point

1. Comment s'appelle l'objet qui permet de « zapper » ?
2. Un magazine hebdomadaire est publié chaque semaine. Vrai ou faux ?
3. Il existe en France des journaux distribués gratuitement dans les transports en commun. Vrai ou faux ?
4. Seul un tiers de la population française a accès à Internet. Vrai ou faux ?
5. M6 est une chaîne de télévision payante. Vrai ou faux ?

2 points

6. Lisez la phrase suivante à voix haute « Je t'appellerai demain. »
7. Dans la phrase suivante, remplacez « aux téléspectateurs » par un pronom : « Le journaliste présente le journal télévisé aux téléspectateurs. »
8. Peut-on dire : « Tu parles à moi. » ?
9. Citez trois parties d'un ordinateur.
10. Comment s'appelle l'action de prendre quelque chose à quelqu'un sans son accord ?

3 points

11. Peut-on dire « Il n'a pas rien mangé » ?
12. Remettez les mots suivants dans l'ordre pour former une phrase : lui / un / Je / mail / ce / envoie / soir / . /
13. Comment interroge-t-on quelqu'un pour savoir ce qui est arrivé ?
14. Écrivez quatre mots qui sont associés à la presse.
15. Citez cinq rubriques différentes dans un journal.

4 points

16. Écrivez le verbe « avoir » au futur simple à la forme négative.
17. Complétez librement la phrase : « Si je réussis, ... ».
18. Écrivez deux expressions utilisées pour exprimer l'intention.
19. Expliquez la différence entre « télécharger » et « surfer ».
20. Comment appelle-t-on la personne qui se moque des personnalités et des hommes politiques ?

Habitants des villes ou des champs ?

> DANS CE DOSSIER

Vous allez aborder ces domaines:

> La nature et les animaux
> Les avantages et les nuisances de la ville
> L'habitat

Vous allez apprendre à:

> Décrire un paysage
> Exprimer une plainte

Vous allez utiliser:

> L'imparfait
> L'interrogation
> Le pronom « y »
> Les valeurs de « on »

Et aussi découvrir:

> Une profession : architecte

Pêle-mêle

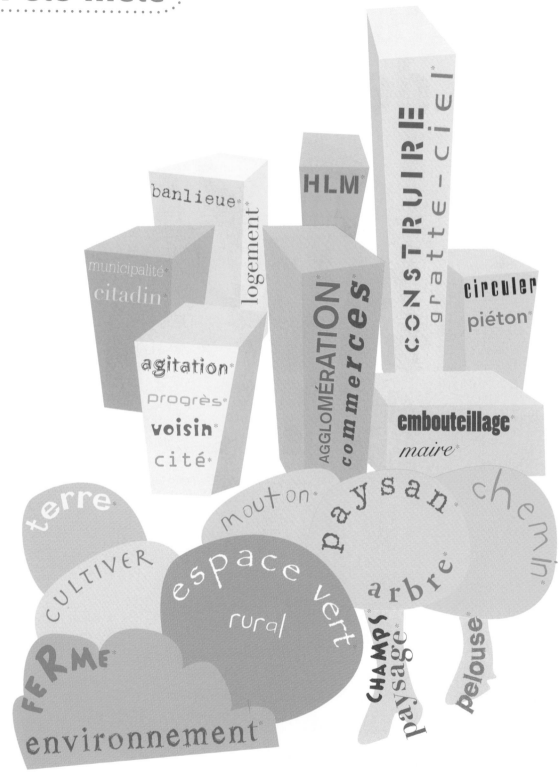

n° 101 à 103

Qu'est-ce que c'est ?

LIRE - ÉCRIRE

décrire
un paysage
mémento p. 124
📖 n° 104 à 107

1. Lisez les descriptions et retrouvez celle qui correspond à ce tableau.

Jean Achard, *Paysage aux environs de Grenoble*, 1841

① Au centre du tableau, on voit un chemin de campagne. Ce chemin passe entre les arbres. À droite du chemin, il y a une bergère et quelques moutons. À droite du tableau, on voit des vaches et au loin, une ferme.

② Au centre du tableau, on voit un chemin de campagne bordé de fleurs des champs. À gauche, il y a quelques maisons. Au loin, on aperçoit des collines et des montagnes. À droite, on devine une rivière.

relations
entre voisins
📖 n° 109, 110

2. Lisez les messages suivants et dites à quels points du règlement intérieur ils se rapportent.

PROPRIÉTÉ LES MARMOTTES Ⓜ

Règlement intérieur

Ne pas faire sécher le linge sur le balcon
Respecter les espaces verts
Ne rien jeter par les fenêtres
Ne pas stationner devant les garages
Ne pas stocker les poubelles sur le palier
Éviter tout bruit de nature à gêner les voisins
Veiller au comportement de son animal domestique

Le 10 janvier 2009
pour le syndic

① David MEULON

vous prie de veiller à faire moins de bruit quand vous vous levez à 5 h du matin. Merci.

10, rue de la bergère 83000 TOULON

② Merci de ne plus faire sécher vos vêtements à l'extérieur, SVP

③ Ne laissez pas vos ordures devant votre porte ! Cette odeur, c'est insupportable !

Votre voisin exaspéré...

exprimer
une plainte
mémento p. 123
📖 n° 111, 112

3. M. Ledru et Mme Bert ne sont pas contents.
Ils écrivent un petit mot à leurs voisins pour se plaindre.

📖 n° 108

Qu'est-ce qu'ils disent ?

ÉCOUTER

29

4. **Écoutez et entourez les activités que Gilles ne pouvait plus faire quand il habitait à la campagne.**

l'imparfait
17. p. 115

📖 n° 113 à

①

②

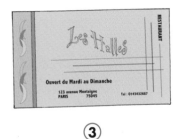
③

④

⑤

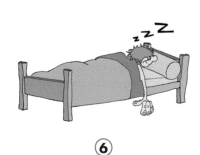
⑥

30

5. **Écoutez et dites dans quelle ferme se passe la scène.**

Des jeunes, qui voyagent avec leur animatrice, tombent en panne près d'une ferme.

l'interrogation
23. p. 118

📖 n° 120 à

BIENVENUE À LA FERME

Chez Bruno et Sandrine
Culture biologique (conseils jardinage)
Fabrication et vente de fromage
Élevage de chevaux
Soin aux animaux

Les écuries - Chemin des marécages
60000 Beauvais - Tél. : 03 44 77 25 69

①

CHEZ MANU ET VÉRO

PRODUITS DE LA FERME
Élevage de porc et vente
de charcuterie
Vente directe de légumes
de saison

VITICULTURE
Rosé de Provence

LE MAS DES OLIVIERS - 13150 TARASCON - 04 90 87 12 85

②

6. **Écoutez et retrouvez les endroits où les deux citadines ont fait ces activités.**

le pronom «y»
5. p. 111
 n° 124 et 126

1. Sonia y a passé
   ses vacances…

a. ❏

b. ❏

2. Elle y a ramassé
   des champignons…

a. ❏

b. ❏

3. Alex s'y est reposée….

a. ❏

b. ❏

les valeurs
de «on»
6. p. 111
 n° 127

7. **Écoutez et retrouvez qui prend l'itinéraire indiqué sur la carte.**

 n° 116
à 119, 125

PARLER - INTERAGIR

Comment le dire ?

mémento
p. 123

33

8. **Écoutez et jouez les dialogues suivants.**

Exprimer une distance

– Où ?
– À mi-chemin entre nos deux villes. À Sully par exemple…
– Tu peux conduire ?
– Oui, je peux conduire.
– Qu'est-ce qu'il y a à Sully ?
– Ben, pas grand-chose, j'imagine. On verra bien. On n'a qu'à s'attendre devant la mairie…

Anna Gavalda, *Je voudrais que quelqu'un m'attende quelque part*, Le Dilettante, p. 110.

Acheter un billet

– Bonjour, je voudrais un billet pour Lyon, s'il vous plaît.
– Oui, aller simple ou aller-retour ?
– Aller-retour.
– Vous souhaitez partir quel jour et à quelle heure ?
– Le mardi 15 juin vers 8 h.
– D'accord, alors j'ai un départ à 8 h 12.

– Parfait.
– Retour dans la journée ?
– Oui, vers 18 h.
– 18 h 42, ça vous va ?
– Oh oui.
– Couloir ou fenêtre ?
– Fenêtre, s'il vous plaît.
– Vous avez moins de 26 ans ?
– Oui, j'ai 23 ans.
– Alors vous avez droit à une réduction.

Demander / indiquer un itinéraire

– Pardon monsieur, je crois que je suis perdue. Vous savez où est la mairie ?
– Oui, c'est tout près d'ici, mais comme vous êtes en voiture, il faut faire le tour : la rue est en sens unique. Alors, vous voyez la poste ?
– Oui.
– Eh bien, vous tournez à gauche, juste après.

Échanges

34

9. **Discutez entre vous.**

1. Où avez-vous grandi ?
2. Où vous ennuyez-vous le plus ? En ville ou à la campagne ?
3. Avez-vous un animal domestique ?
4. Que voyez-vous de votre fenêtre ?
5. Vous entendez-vous bien avec vos voisins ?
6. Qu'aimez-vous en ville ? Qu'y détestez-vous ?
7. Que faites-vous dans un embouteillage ? Vous klaxonnez ? Vous vous énervez ? Vous restez calme ?
8. Vous préférez les paysages de mer ou de montagne ? Pourquoi ?
9. Qu'aimez-vous faire quand vous êtes à la campagne ? Dans une forêt ? À la mer ?
10. Selon vous, comment est le voisin idéal ? Et le pire des voisins ?

Jeux de rôles

10. **Choisissez une situation, préparez un dialogue et jouez-le.**

Situation 1

Deux amis se plai-
gnent de leurs voisins
respectifs. Chacun a
plusieurs choses à lui
reprocher.

Situation 2

Vous parlez de votre enfance avec un ami. L'un de vous a grandi en ville
et l'autre à la campagne. Aidez-vous des dessins ci-dessous pour parler
de ce que vous faisiez quand vous étiez enfant.

Sons et lettres

phonétique
p. 108

n° 128 à 130

11. **Écoutez et cochez la case correspondante.**

1. ❑ Les citadins rêvent de quitter la ville.   ❑ Les citadins rêvaient de quitter la ville.
2. ❑ Il s'ennuie à la campagne.   ❑ Il s'ennuyait à la campagne.
3. ❑ Tu respires le bon air pur.   ❑ Tu respirais le bon air pur.
4. ❑ Je me repose dans le jardin.   ❑ Je me reposais dans le jardin.
5. ❑ Elle s'installe à Paris ?   ❑ Elle s'installait à Paris ?

 12. **Écoutez et cochez la case quand
vous entendez le son [ɛ].**

36

	1.	2.	3.	4.	5.	6.
[ɛ]						

 13. **Écoutez et soulignez le son [ɛ].**

37

1. Dans la lointaine forêt, mon frère entend le grand cerf qui appelle sa belle.
2. Par la fenêtre, Lisette chante à tue-tête «Je t'aime, je t'aime Alfred».
3. Pour son anniversaire, la reine a offert à son valet une belle écharpe en laine.
4. Hors d'haleine, un militaire cherche la caisse pleine de fraises.

LE SAVEZ-VOUS ?

Les nouveaux animaux de compagnie

14. **Lisez ce texte et présentez la place des animaux domestiques dans votre pays.**

Avoir un chat, un chien, un poisson rouge comme animal de compagnie, c'est classique. Mais un crocodile, un furet ou un serpent, voilà qui est plus original ! C'est la nouvelle mode en France, et on appelle ces animaux des NAC (Nouveaux Animaux de Compagnie). Chez les 18-25 ans, on apprécie particulièrement le rat, qui est intelligent et joueur. En plus, il n'est pas cher (entre 5 € et 15 €), même s'il faut ajouter le prix de la nourriture et de la cage.

En France, le marché des animaux exotiques n'a jamais été aussi important. Les iguanes, caméléons, tortues, serpents, mygales et scorpions sont les animaux les plus demandés. Les perroquets et perruches sont également très appréciés. Ces animaux doivent normalement être issus d'élevage, mais en réalité, la plupart sont pris directement dans leur milieu d'origine. Cela pose le problème de la disparition de certaines espèces et peut entraîner des catastrophes écologiques.

Des villes et des villages

15. **Lisez ces informations et comparez avec votre pays.**

Les Français souhaitent habiter...

À la campagne 33 %

En ville 36 %

Au 1er janvier 2009, il y avait 36 686 communes en France. La plus petite, Rochefourchat dans la Drôme, comptait un seul habitant.

Le nom le plus long,

SAINT-RÉMY-EN-BOUZEMONT-SAINT-GENEST-ET-ISSON

CD 98

SAINT-TROPEZ

le plus court,

Y

Plus de 10 % des communes françaises ont un nom qui commence par « Saint(e) ».

le plus tendre !

MONTRÉSOR

Plus loin, à une demi-heure environ du centre-ville 9 %

En périphérie de la ville 21 %

Styles d'habitat

16. Observez ces photographies et faites la description d'une maison traditionnelle de votre pays.

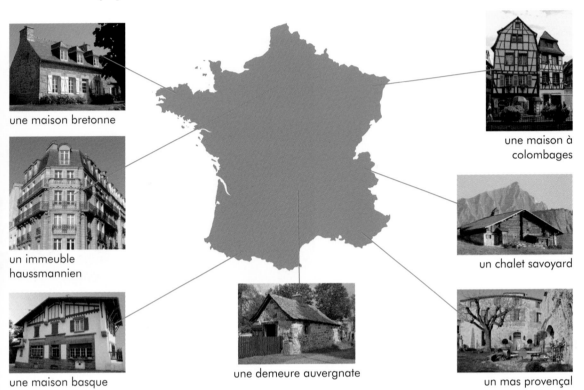

une maison bretonne

un immeuble
haussmannien

une maison basque

une demeure auvergnate

une maison à
colombages

un chalet savoyard

un mas provençal

Connaissez-vous Jean Nouvel?

17. **Lisez ce texte.**

Né en 1945 à Fumel (Lot-et-Garonne) dans une famille d'enseignants, Jean Nouvel est diplômé de l'École nationale des beaux-arts de Paris. C'est l'un des premiers architectes français. En 1981, il a dessiné les plans de l'institut du Monde Arabe à Paris, son premier grand projet. Il a ensuite réalisé des logements sociaux à Nîmes, l'opéra de Lyon, l'immeuble de la Fondation Cartier à Paris et le musée du Quai Branly à Paris (2006). En mars 2008, il a obtenu la plus haute distinction de la profession : le Prix Pritzker. Toutes les réalisations de cet architecte sont très différentes, il n'aime pas la répétition et se préoccupe beaucoup de l'environnement. Il travaille souvent en France où il va réaliser, par exemple, dans le quartier de la Défense à Paris une tour de 300 m de hauteur qui abritera des bureaux, des logements et un hôtel. Aujourd'hui, il a des projets à l'étranger : il va réaliser le futur musée du Louvre à Abu Dhabi, une tour de verre de 75 mètres de hauteur à Manhattan, ou encore un complexe hôtelier à Las Vegas. Il a travaillé dans le monde entier : en Espagne, en Suisse, en Autriche, au Danemark, en Allemagne, au Japon, etc.

📖 n° 131 à 133

RENCONTRE avec...
ANTOINE, architecte

REPÈRES

- 1978 : construction de sa première maison.
- 1987 : début du projet du musée de peinture de Grenoble qui a ouvert ses portes en 1992.
- 1996 : réalisation d'un immeuble de 35 logements dans l'agglomération grenobloise.
- 2001 : rénovation et extension d'une halte-garderie en Isère.
- 2005 : inauguration de la bibliothèque universitaire à Grenoble.
- 2008 : réhabilitation d'une ancienne usine de Bouchayer-Viallet.

INTERVIEW

– **Qu'est ce qui vous a poussé à devenir architecte ?**

– J'ai toujours été passionné par la sculpture et la lumière, et c'est petit à petit que je suis arrivé à ce métier.

– **Vous avez fait une école d'architecture ?**

– Oui, j'ai étudié à l'école d'architecture de Grenoble mais j'ai aussi fait une licence d'histoire de l'art.

– **Pouvez-vous nous raconter comment naît un projet ?**

– Ah… ce n'est pas simple, il y a plusieurs choses à prendre en compte. Le site, tout d'abord car c'est vraiment lui qui détermine ce que je vais faire. Je regarde toujours l'orientation du terrain pour jouer au mieux avec la lumière puis je prends en compte l'accès et la pente car ils peuvent influencer la forme de la maison, et surtout, je m'inspire de la nature.

– **C'est-à-dire ?**

– La maison ou le bâtiment que je construis doit s'intégrer, grâce aux matériaux choisis ou aux couleurs, dans ce décor naturel. De même, la nature doit rentrer dans la maison. Je fais ainsi toujours attention, par exemple, à la vue qu'auront les futurs propriétaires. Chaque chose est pensée. Et puis, l'autre élément primordial, c'est le client. J'étudie sa manière de vivre, son caractère, ses goûts, et avec tout ce qu'il me donne, j'essaye de créer un lieu où il se sentira bien. Bien sûr, il y a aussi le budget à ne pas oublier.

– **Vous travaillez seul ?**

– Non, j'ai une grande équipe autour de moi : paysagiste, ingénieur, économiste et toutes les personnes du bâtiment. En plus, je suis fidèle : il y en a qui travaillent avec moi depuis mes débuts.

– **Voilà maintenant 37 ans que vous faites ce métier, vous êtes prêt à prendre votre retraite ?**

– Absolument pas ! Même si c'est de plus en plus difficile avec les normes d'aujourd'hui, et que c'est un métier vraiment très stressant car au fond, c'est l'architecte, tout seul, qui a l'idée finale en tête et donc toutes les responsabilités, je n'arrive vraiment pas à m'imaginer laisser tout ça. C'est vrai que j'essaye de passer la main à la nouvelle génération à qui je donne des cours à l'école d'architecture mais ce n'est pas facile… Vous comprenez, chacune de mes réalisations, c'est une histoire avec un client, des rencontres… alors tout ça me manquerait trop !

TÉMOIGNAGES

Préférez-vous habiter dans du neuf ou dans de l'ancien ?

Samir, 46 ans

Moi, je n'aime que les appartements modernes en ville. Ils sont plus confortables, plus lumineux et plus faciles à chauffer. Et puis en général, il y a l'ascenseur !

Pierre, 50 ans

Moi, j'aime autant les maisons neuves que les maisons anciennes. Mais forcément à la campagne : je déteste vivre en ville. J'ai besoin de l'air pur et du contact avec la nature.

Natacha, 28 ans

J'apprécie les appartements rénovés dans les vieux quartiers. Ils ont plus de caractère que les immeubles modernes ! Et savoir que des générations y ont vécu, c'est émouvant.

INSOLITE

Logements alternatifs

Habiter dans les arbres : vous pensez peut-être que c'est un rêve d'enfant. Pourtant, certains adultes construisent aussi des cabanes perchées (petites maisons en bois) et y vivent. D'autres choisissent la yourte pour être plus près de la nature ou décident de vivre dans une roulotte (maison roulante tirée par un cheval) pour rompre avec l'habitat traditionnel. Les exemples de cette tendance actuelle à «habiter autrement» ne manquent pas. Citons encore la vie sur une péniche (bateau de rivière, à fond plat, habituellement utilisé pour le transport des marchandises), sous un tipi (habitat traditionnel des Indiens d'Amérique du Nord) ou dans une maison troglodyte (dans une grotte ou une falaise). Autre exemple :

Loïc et Thérèse ont construit une maison-dôme toute en bois, qui peut tourner sur elle-même. Ils peuvent ainsi choisir l'orientation de leur maison en fonction du soleil, ou du paysage qu'ils souhaitent voir. Tous ces exemples d'habitat ont en commun leur côté écologique. Mais ce sont parfois d'autres contraintes, plus économiques ou idéologiques qui font choisir un logement alternatif. C'est le cas des squats, qui sont des lieux (appartement ou friches industrielles) occupés illégalement par une ou plusieurs personnes : migrants sans papiers, personnes sans domicile fixe, militants libertaires ou artistes.

QU'EN PENSEZ-VOUS ?

1. «Il vaut mieux tout détruire et reconstruire plutôt que de rénover les bâtiments anciens.» D'accord ou pas d'accord ?
2. Que pensez-vous des mélanges de styles en architecture (historique et moderne comme la pyramide du Louvre par exemple) ?
3. Les logements alternatifs sont-ils beaucoup plus écologiques que les maisons traditionnelles ?

FAISONS LE POINT

Formez des équipes et répondez aux questions.

1 point

1. Peut-on écrire la phrase suivante : «Quel est votre ville préférée ? »
2. Imitez le cri du coq en français.
3. En France, l'autoroute A7 est surnommée «l'autoroute du soleil». Vrai ou faux ?
4. Citez deux villes où on peut voir une réalisation de Jean Nouvel.
5. Citez trois animaux de compagnie exotiques pour les Français.

2 points

6. Écrivez les noms de quatre noms animaux de la ferme.
7. Comment dites-vous «Il fait mauvais» en utilisant une expression familière avec un nom d'animal ?
8. Utilise-t-on l'imparfait pour parler d'une habitude dans le passé ?
9. Dans quelle région pouvez-vous trouver un chalet savoyard ?
10. Donnez trois raisons courantes de se plaindre de ses voisins.

3 points

11. Écrivez une phrase où le pronom «on» remplace «les étudiants».
12. Écrivez trois éléments qui font partie d'un paysage de campagne.
13. Écrivez une question correspondant à la réponse suivante : «On met dix minutes à pied».
14. Citez de mémoire trois mots du Pêle-mêle relatifs à la ville.
15. Remettez les mots suivants dans l'ordre pour former une phrase : pas / rester / Ils / y / vont / ne / .

4 points

16. «Dans combien de villes avez-vous vécu ? » Écrivez cette phrase en langage standard puis familier.
17. Écrivez deux questions que peut poser un employé de gare lorsqu'on achète un billet.
18. Écrivez quatre mots contenant le son [ɛ].
19. Conjuguez le verbe «conduire» à l'imparfait à toutes les personnes.
20. Votre voisin écoute de la musique très fort à minuit. Que lui dites-vous ?

Cultivons nos plaisirs !

➤ DANS CE DOSSIER

Vous allez aborder ces domaines :
> La cuisine
> La littérature et la bande dessinée
> Le cinéma, le théâtre

Vous allez apprendre à :
> Proposer, inviter
> Accepter, refuser, reporter une invitation

Vous allez utiliser :
> Les pronoms démonstratifs
> Les articulateurs logiques

Et aussi découvrir :
> Une profession : sommelier

Pêle-mêle

se régaler

gourmet*

faire plaisir*

s'ennuyer

roman*

personnage*

se changer les idées

se régaler*

amusant*

rythme*

lecteur*

jazz*

CINÉ*

festif*

goûter*

BD*

festival*

curiosité*

comédien*

passer le temps*

offrir*

convivial*

décevant

scène*

émotion*

dégustation*

imagination*

bonheur*

partage*

genre*

n° 134 à 136

Qu'est-ce que c'est ?

les adjectifs
et les pronoms
démonstratifs
3. et 7. p. 110 et 111

n° 137 à 139

1. Observez les documents et présentez l'un de ces festivals.

①

DU 22 AU 26 JUIL 09
FESTIVAL TRANSNATIONAL DES ARTISTES DE LA RUE
CHALON-SUR-SAÔNE // 23ᵉ ÉDITION

MANON ET JEAN DE FLORETTE

Invitez-vous à la représentation en plein-air des célébrissimes histoires de Pagnol : celles de Manon et Jean de Florette. Le Papet, Hugolin et ses œillets, Jean de Florette le bossu et Manon la chevrière sont là. L'anisette, les cigales aussi. C'est à la fois l'histoire du crime, de la vengeance et du châtiment autour de cette source, cette eau de vie et surtout de mort. Laissez-vous emporter par le souffle épique de cette fresque caniculaire en terre aride, l'accent flamand en prime !

Durée : 1 h 40 /// Représentations jeu 23 et ve 24 à 10 h 45 ///
Tarif : 5 € /// Pique-nique à prévoir par les spectateurs.

② Affiche et extrait du programme

proposer/inviter
mémento p. 124

n° 140

2. Les trois événements suivants vous intéressent. Proposez
à un(e) ami(e) ou à un(e) collègue de vous y accompagner.

L'Astral, la compagnie des Pumas
et le slameur YtaK
SLAM SESSION
Thème : Naufrage (3 min)
Vendredi 5 mars à 22 h
Au bar l'Imprévu de l'Astral

①

HUMOUR
FLORENCE FORESTI
MARS 2010

HUMOUR
Vendredi 26 mars 20 h 30
Après *Florence Foresti fait
des sketches à la Cigale,*
la jeune humoriste
revient avec son spectacle
The Motherfucker tour.

Plein tarif : 39 €
Tarif réduit : 30 €

②

Le Baravin

Venez découvrir les vins d'Alsace !
Dégustation privée dans une ambiance conviviale,
le samedi 13 mars à 19 h.
*Vous passerez un moment inoubliable et divertissant
en savourant Riesling, Tokay Pinot Gris et le nouveau
Vendanges Tardives Gewurztraminer 2009.*

7, rue de la Gare - 38000 Grenoble

③

accepter,
refuser, reporter
une invitation
mémento p. 124

n° 141, 142

3. Écrivez maintenant la réponse de votre ami(e) ou de votre collègue
qui accepte, refuse ou reporte votre invitation.

n° 143

Qu'est-ce qu'ils disent ?

ÉCOUTER

4. **Écoutez les personnes interviewées et retrouvez le plat qu'elles aiment servir à leurs amis.**

la cuisine

 n° 144 à 1

①

②

③

④

la littérature

5. **Écoutez et trouvez dans quel ordre les livres suivants sont évoqués.**

n° 149 à 1

Les Fleurs du mal
Charles Baudelaire

①

Daniel Pennac
Au bonheur des ogres

folio

②

magrittemuseum
guide du musée

③

JEAN-CLAUDE IZZO

Chourmo

SÉRIE NOIRE
Gallimard

④

6. **Écoutez et dites à qui vous associez ces activités.**

→ Manu – Vincent – Malika – Fanny

les articulateurs
logiques
24. p. 119

n° 152 et 154

3. ....

1. ....

2. ....

4. ....

7. **Écoutez et retrouvez le film le plus récompensé.**

le cinéma

n° 156 à 159

Film le plus
récompensé :

....

n° 153, 155, 160

PARLER - INTERAGIR

Comment le dire ?

mémento
p. 124

42

8. Écoutez et jouez les dialogues suivants.

Annuler un rendez-vous

– Allô Myriam ? C'est Laure, je t'appelle parce que demain je ne peux pas déjeuner avec toi comme prévu.
– Ce n'est pas grave, on fera ça une autre fois. Mais tu penses à annuler le restaurant ?
– Pas de problème !

Demander/donner un avis sur un spectacle

– Dites-moi Claudine, c'est vous qui êtes allée voir la pièce de Feydeau au théâtre des Lyres ? Ça vous a plu ?
– Oh oui ! J'ai adoré ! C'est amusant et les acteurs sont excellents.

Exprimer un dégoût

– Rien ne te dégoûte alors ?
– Si ! Les figues sèches !
– C'est pas dégoûtant les figues sèches !
– Tu en manges ?
– Oui.
– N'en mange plus si tu m'aimes.
– Pourquoi ?
– Les vendeuses les mâchent et puis elles les remettent dans le paquet.
– Qu'est-ce que tu racontes ?
– Pourquoi crois-tu que c'est tout écrasé et moche ?
– C'est vrai ce que tu dis ?
– Je te le jure. Les vendeuses les mâchent et les recrachent.
– Beuh !

Amélie Nothomb, *Robert des noms propres*, p. 67

Échanges

43

9. **Discutez entre vous.**

1. Quel petit plaisir vous offrez-vous quand vous avez un peu de temps libre de façon inattendue ?
2. Quel est votre endroit préféré pour lire ?
3. Bien manger fait-il pour vous partie des plaisirs de la vie ?
4. Pouvez-vous réciter quelques lignes d'un poème dans votre langue ?
5. Quel est le spectacle qui vous a le plus marqué ?
6. Vous préférez une sortie en amoureux ou avec les copains ?
7. Combien êtes-vous prêt à dépenser pour un spectacle ?
8. Avez-vous déjà écrit des poèmes, des chansons, des textes de slam ?
9. Aimez-vous le karaoké ?
10. Chantez-vous dans une chorale ? Est-ce que cela vous plairait ?
11. Avez-vous déjà assisté à une pièce de théâtre, un spectacle de danse, un opéra ? Racontez.

Jeux de rôles

10. **Choisissez une situation, préparez un dialogue et jouez-le.**

Situation 1

Vous proposez à un ami d'aller assister au festival annoncé sur l'affiche ci-contre. Il accepte, mais il vous demande quelques précisions.

Situation 2

Vous êtes invités chez un ami qui vous présente le plat qu'il a préparé. Vous le goûtez et discutez de sa composition.

FESTIVAL ROCK ALPES

À l'affiche en première partie :

LES ROCKTOUS
LES TÊTES RAIDES
LA TORDUE
LA RUKÉTANOU
GUEST STAR : DIONYSOS

Salle « Le bocal »

Vendredi 20 juillet

À partir de 19 h

Plein tarif : 30 € - Tarif réduit : 22 €

Sons et lettres

phonétique
p. 108

n° 161 à 163

11. **Soulignez les mots contenant le son [ɥi].**
Vérifiez vos réponses avec l'enregistrement puis répétez.

celui – Louis – parapluie – suivre – se réjouir – s'enfuir
huit – réduire – enfouir – lui – huile – minuit – inouï – puis

 12. **Répétez l'alternance des sons [a]**
45 **et [ɑ̃] en respectant l'intonation.**

Celui-ci ?	Celui-là ?
Lamentable	Charmant
Navrant	Marrant
Rasant	Passionnant
Lassant	Attachant

 13. **Cochez le son que vous entendez.**
46

	Exemple	1.	2.	3.	4.	5.	6.	7.
[ɛ̃]								
[ɑ̃]	X							

LE SAVEZ-VOUS ?

Cuisine d'Outre-mer

14. **Lisez le texte et retrouvez les caractéristiques de la cuisine créole.**

Si on vous dit cuisine française, peut-être pensez-vous seulement à celle de la métropole et oubliez-vous toute la cuisine d'Outre-mer ? Connaissez-vous par exemple la cuisine créole, originaire des Antilles ? C'est une cuisine pleine de saveurs et d'épices, résultat d'un métissage entre la France, l'Inde et l'Afrique. L'influence de l'Afrique se retrouve dans la consommation de racines (igname, manioc…) et de pois. Celle de l'Inde est reconnaissable essentiellement dans l'utilisation du curry. Celle de la France, enfin, se fait sentir dans de nombreux ingrédients (farine, riz, poitrine et lard fumés, féculents et légumes secs, morue séchée…) qui arrivaient aux Antilles de métropole par bateau dans les périodes difficiles. Le piment est très présent dans la cuisine créole.

Un repas créole commence en général par un ti-punch, boisson à base de fruits macérés et de rhum. Il est accompagné d'amuse-bouches comme les petits boudins blancs ou noirs, les pâtés (feuilletés à la viande) et les accras (beignets de morue ou de crevettes). Plats de viande mijotée au curry, poissons frais, grande variété de fruits et de légumes, la cuisine créole est une explosion de saveurs. Et de la même façon que vous vous régalerez en entendant la langue française parlée aux Antilles, vous apprécierez sa cuisine métissée.

Du plaisir au bonheur

15. **Lisez les citations de ces personnalités françaises et écrivez votre propre définition du plaisir ou du bonheur.**

– Le bonheur parfait selon vous ?
– C'est un grand nombre constant de petits bonheurs.
Raymond Devos

Prendre des années n'est pas très grave, car chaque âge a ses plaisirs et ses bonheurs.
Jean-Paul Belmondo

Le plaisir le plus délicat est de faire celui d'autrui.
Jean de La Bruyère

Le bonheur existe. Il est dans l'amour, la santé, la paix, le confort matériel, les arts, la nature et encore à des milliers d'endroits.
Michèle Morgan

Ce qui m'intéresse, ce n'est pas le bonheur de tous les hommes c'est celui de chacun.
Boris Vian

Je trouve mes plus grands bonheurs dans les petits plaisirs.
Françoise Chandernagor

Le 9ᵉ art

16. **Observez les documents et dites quel personnage de BD vous connaissez.**

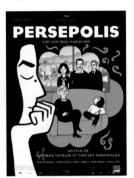

De plus en plus de BD, comme *Astérix et Obélix* et *Persépolis*, sont adaptées au cinéma et connaissent un vrai succès !

La télévision s'intéresse à la BD : Titeuf, Lucky Luke ou Cédric sont aussi des personnages de dessins animés !

4 746 bandes dessinées ont été publiées en 2008. 1 bande dessinée vendue sur 3 est d'origine asiatique.

Chaque année, la ville d'Angoulême fête le 9ᵉ art. Des événements, des expositions, des concours et de nombreuses rencontres avec les auteurs sont organisés.

Les trois coups

17. **Lisez le texte et trouvez les raisons pour lesquelles les Français aiment le théâtre.**

Chaque année, 14 millions de Français vont au théâtre. Ils aiment voir aussi bien des œuvres classiques à la Comédie Française* que des pièces d'auteurs contemporains comme Éric Emmanuel Schmidt ou Yasmina Reza. Mais d'autres genres existent : le théâtre de rue, de marionnettes (pour les enfants) ou le théâtre de « boulevard ». Celui-ci remplit toujours les salles car il met en scène des situations compliquées sur le thème des relations amoureuses ou de l'argent, avec beaucoup de quiproquos* qui font rire les Français.
Les techniques théâtrales attirent aussi beaucoup d'amateurs car elles leur permettent de prendre confiance en eux, de mieux maîtriser le langage et de sortir, parfois, de leur timidité. Ces mêmes techniques sont également utilisées pour améliorer les relations humaines dans des milieux assez inattendus comme celui des prisons ou celui de l'entreprise, où des stages de théâtre sont parfois proposés. Jean Michel Ribes – auteur, comédien et metteur en scène – rappelle, à ce sujet, que « le théâtre est le seul endroit où existe un contact émotionnel direct entre les gens, entre les acteurs et les spectateurs ».

*La Comédie Française : théâtre d'État, fondé en 1680 par Louis XIV qui dispose d'une troupe de comédiens permanents. *Un quiproquo : un malentendu, une situation mal comprise par quelqu'un et qui a une conséquence différente de celle attendue.

n° 164 à 168

RENCONTRE avec...
CLAIRE, sommelière

REPÈRES

La dégustation d'un vin se fait en 3 étapes.

● La phase visuelle
On regarde sa couleur (la robe). Les larmes (liquide qui coule sur le verre après agitation) indiquent s'il est riche en alcool.

● La phase olfactive
On le sent et on essaie de reconnaître des arômes (épicé, fruité, floral…).

● La phase gustative, la plus délicate : on le garde en bouche plusieurs secondes et on analyse ses perceptions.

INTERVIEW

– **Pourquoi êtes-vous devenue sommelière ?**
– Le vin avait une place privilégiée dans ma famille. Quand j'étais petite, mon père me faisait sentir les vins et me demandait quels arômes je reconnaissais.
– **Vous avez donc choisi de faire des études de sommellerie ?**
– Oui, j'ai d'abord fait un bac professionnel hôtellerie-restauration puis un brevet professionnel mention sommelier, c'est-à-dire que j'ai étudié 5 ans après le bac.
– **Où peut travailler un sommelier ?**
– Dans un restaurant, un bar à vins, une cave à vins ou une maison de négoce.
– **En quoi consiste exactement ce métier ?**
– Le sommelier s'occupe de la commande des vins, du conseil et du service à la clientèle, du contact avec les vignerons, de la visite des vignobles et surtout de faire connaître de nouveaux vins.
– **Est-ce un milieu facile pour une femme ?**
– Non, il y a peu de femmes dans ce milieu. Quand j'ai fait mes études, nous n'étions que deux filles dans ma classe, mais c'est en train de changer. De la même façon, quand j'ai commencé, les clients ne faisaient pas confiance à une femme. Maintenant, c'est presque le contraire…

– **Est-ce facile de trouver du travail ?**
– Oui, particulièrement à l'étranger et notamment en Australie où les sommeliers français sont très demandés.
– **Quels sont pour vous les inconvénients de cette profession ?**
– Comme dans tous les métiers de la restauration, les horaires sont très durs. La partie administrative, la comptabilité par exemple, me prend beaucoup de temps, et ce n'est pas ce que je préfère. Par contre, le fait de transmettre mes connaissances pendant les cours d'œnologie que j'organise, ça me passionne !
– **Quelle est pour vous la principale qualité d'un bon sommelier ?**
– C'est l'ouverture d'esprit parce qu'on doit sans cesse être à la recherche de nouveaux vins, et l'humilité car on a toujours quelque chose à apprendre.
– **Avez-vous vu une évolution de votre métier ?**
– Oui, actuellement, il me semble qu'il y a un nouvel attrait pour le vin. Des clients plus jeunes viennent nous voir, et ils s'intéressent beaucoup à l'origine du vin, à la façon dont il est fabriqué et pas seulement au produit lui-même. Ils me disent souvent que boire un bon vin fait partie des plaisirs de la vie !

AVIS D'AMATEURS

Quel est votre vin préféré ?

Serge, 55 ans

Moi, je ne bois jamais de vin, je n'aime pas ça. Le seul vin que je bois, c'est un peu de champagne pour le Nouvel An, c'est tout.

Antoine, 40 ans

Je préfère le vin rouge, et particulièrement le Bourgogne. Si vous voulez me faire plaisir, offrez-moi par exemple une bouteille de Côte de Nuits, c'est un vignoble près de Dijon.

Maria, 31 ans

Ça dépend de ce que je mange et de la saison… J'aime bien le vin blanc et le rosé en été, car on les boit très frais. Mais avec le fromage, c'est du vin rouge, forcément !

INSOLITE

Le vin fait parfois tourner la tête…

Vous pensez qu'on exagère un peu avec le vin ?
– Sachez que certaines personnes dépensent des fortunes dans ce domaine : un touriste chinois a, par exemple, acheté le soir de Noël 2008 pour plus de 46 000 euros de vin français à l'aéroport de Roissy, avant de prendre son vol pour Pékin.
– Des restaurants proposent parfois des bouteilles à plus de 20 000 € la bouteille (Château Pétrus ou Mouton Rothschild 1945 entre autres).
– Des expériences étonnantes sont aussi menées : on a ainsi immergé des bouteilles de vins dans un des lacs les plus grands et les plus chauds de France dans le Jura.

Certaines d'entre elles portent des messages de personnalités sur l'art de vivre d'aujourd'hui. Les bouteilles seront remontées tous les 20 ans jusqu'à épuisement du stock. Les générations chargées de les récupérer pourront les déguster et les comparer aux autres restées en cave et lire les témoignages sur l'art de vivre laissés par les femmes et les hommes d'aujourd'hui.
– Sachez enfin que des chercheurs ont mis au point des capteurs capables de détecter l'acidité, le sucre ou la quantité d'alcool contenus dans un échantillon. Puis par analyse, d'afficher l'âge (millésime), la variété du vin (cépages) et même son nom…

QU'EN PENSEZ-VOUS ?

1. L'alcool doit être interdit aux moins de 21 ans. Pour ou contre ?
2. Pensez-vous qu'il vaut mieux éviter de boire de l'alcool ? Justifiez votre opinion.
3. Trouvez-vous que le prix de certaines bouteilles très chères est justifié ?

IV
LICENCE
LOI
DU 24 SEPTEMBRE 1941

FAISONS LE POINT

Formez des équipes et répondez aux questions.

1 point

1. Que dites-vous quand vous goûtez quelque chose et que vous n'aimez pas?
2. Citez trois personnages francophones de bande dessinée.
3. Quelle est la profession d'une personne qui tourne des films?
4. La personne qui joue au théâtre s'appelle un acteur. Vrai ou faux?
5. Comment demande-t-on à quelqu'un s'il a aimé ou non un spectacle?

2 points

6. Peut-on dire : «Ce livre plaît à moi»?
7. Écrivez le nom d'un aliment salé, d'un aliment sucré, d'un aliment acide et d'un aliment amer.
8. Peut-on dire : «Cet acteur joue très bien»?
9. Replacez les verbes «goûter» et «essayer» dans les phrases : «Vous voulez .... cette robe?», «Il va .... ce vin.»
10. L'expression «Quel navet!» signifie-t-elle que le film est bon ou mauvais?

3 points

11. Faites une phrase polie pour refuser une invitation.
12. Corrigez la phrase suivante «Tu préfères cette qui est à gauche ou cette qui est à droite?»
13. Vous invitez un collègue à venir dîner chez vous. Que lui dites-vous?
14. Citez trois formes que peuvent prendre les œuvres littéraires.
15. Donnez le nom qui correspond à l'adjectif «émouvant».

4 points

16. Peut-on dire : «Si on irait à ce concert»?
17. Faites une phrase pour inviter un ami au cinéma : «Ça .... ?»
18. Donnez le nom de cinq écrivains français.
19. Faites une phrase en utilisant le mot «donc» et une autre phrase avec «à cause de».
20. Lisez la phrase suivante à voix haute : «Pourquoi tant d'ingrédients dans ce gratin de légumes du jardin?»

Les autres et moi

➤ DANS CE DOSSIER

Vous allez aborder ces domaines :
> L'amour et l'amitié
> Les sentiments / les relations sociales
> Le langage des couleurs

Vous allez apprendre à :
> Écrire une lettre personnelle
> Exprimer l'obligation
> Exprimer l'interdiction

Vous allez utiliser :
> Tout (adjectif ou pronom sujet)
> Les pronoms compléments à l'impératif
> Le discours indirect au présent

Et aussi découvrir :
> Une profession : directeur d'une agence de rencontres

Pêle-mêle

haine*

détestable*

chagrin*

jaloux

méchanceté*

trahison*

réconciliation*

draguer

RIVALITÉ*

séduire

émotion*

amitié*

compréhensif*

bien s'entendre avec coup de foudre

tomber amoureux

complice

COPAINS

sortir avec quelqu'un

amical

douceur*

tendresse*

fidèle chéri (e)*

faire confiance à

affectif

éprouver

âme sœur*

RELATION*

n° 169 à 171

Qu'est-ce que c'est ?

LIRE - ÉCRIRE

1. **Lisez cet horoscope amoureux et retrouvez les côtés positifs et négatifs de l'amour.**

l'amour
📖 n° 172 à 174

HOROSCOPE AMOUREUX

 TAUREAU
Rien de tel, après une scène de ménage, que de se réconcilier… Alors, oubliez vos conflits et tournez la page. Une belle période de tendresse semble s'annoncer dans votre couple. Pour les célibataires, les astres favorisent les rencontres amoureuses.

 GÉMEAUX
Beaucoup de changements positifs au programme : les volages vont devenir fidèles, les jaloux vont être plus sereins et les égoïstes vont enfin s'occuper des autres ! Bref, le ciel des gémeaux s'éclaircit.

 CANCER
Après plusieurs ruptures, vous ne croyez plus à l'amour. Pour vous, l'amour se résume à disputes, séparations et chagrins d'amour. Ne soyez pas si pessimiste ! Laissez passer un peu de temps et donnez une chance au coup de foudre !

 LION
Si vous êtes célibataire, vous allez tomber amoureux et vivre une grande passion. Mais pour cela, vous devez vous jeter à l'eau et avouer votre amour. Pour les personnes déjà en couple, une relation stable, faite de complicité et de fidélité, pourrait aboutir à une demande en mariage.

2. **Matthias (du signe du Lion) est amoureux de Céline. Remettez le brouillon de sa lettre dans l'ordre.**

l'emploi de «tout»
📖 n° 176

Chère inconnue,
Je vous vois presque tous les jours à la gare, derrière votre guichet « Informations », et aujourd'hui j'ai décidé de tout vous dire :

Je vous attendrai au Café de la gare, à 16h15, je serai en train de lire Histoires d'amour de Marcel Achard. J'attendrai toute la soirée et toute la nuit s'il le faut !

Maintenant, le guichet est fermé et je vais glisser cette lettre sous la porte en espérant que vous la trouverez demain. Avec tout mon amour,
Votre amoureux transi,
Matthias

je vous aime ! Je n'ai pas osé vous parler car vous n'êtes jamais seule.

Alors, j'ai décidé de vous écrire pour vous avouer mon amour et pour vous demander d'accepter de prendre un verre avec moi après votre travail demain.

écrire une lettre personnelle
mémento p. 125
📖 n° 177

3. **Céline (du signe du Cancer) ne va pas au rendez-vous mais écrit une lettre à Matthias. Rédigez-la à l'aide de l'horoscope de l'activité 1.**

📖 n° 175

Qu'est-ce qu'ils disent ? ÉCOUTER

les pronoms
compléments
à l'impératif
9. p. 112

📖 n° 178 à 1

4. **Écoutez et dites à quelle période de la vie de couple ces scènes peuvent se passer.**

47

Anniversaires de mariage

Noces de coton 1 an

Noces de Cuir 2 ans
Noces de Froment 3 ans
Noces de Cire 4 ans
Noces de Bois 5 ans
Noces de Cypre 6 ans
Noces de Laine 7 ans
Noces de Coquelicot 8 ans
Noces de Faïence 9 ans

Noces d'étain 10 ans

Noces de Corail 11 ans
Noces de Soie 12 ans
Noces de Muguet 13 ans
Noces de Plomb 14 ans
Noces de Cristal 15 ans
Noces de Saphir 16 ans
Noces de Rose 17 ans
Noces de Turquoise 18 ans
Noces de Cretonne 19 ans

Noces de Porcelaine 20 ans
Noces de Opale 21 ans
Noces de Bronze 22 ans
Noces de Béryl 23 ans
Noces de Satin 24 ans

Noces d'Argent 25 ans

Noces de Jade 26 ans
Noces de Cajou 27 ans
Noces de Nickel 28 ans
Noces de Velours 29 ans
Noces de Perle 30 ans
Noces de Basane 31 ans
Noces de Cuivre 32 ans
Noces de Porphyre 33 ans
Noces d'Ambre 34 ans
Noces de Rubis 35 ans
Noces de Mousseline 36 ans
Noces de Papier 37 ans

Noces de Mercure 38 ans
Noces de Crêpe 39 ans
Noces d'Émeraude 40 ans
Noces de Fer 41 ans
Noces de Nacre 42 ans
Noces de Flanelle 43 ans
Noces de Topaze 44 ans
Noces de Vermeil 45 ans
Noces de Lavande 46 ans
Noces de Cachemire 47 ans
Noces d'Améthyste 48 ans
Noces de Cèdre 49 ans

Noces d'Or 50 ans

Noces d'Orchidée 55 ans
Noces de Diamant 60 ans
Noces de Palissandre 65 ans
Noces de Platine 70 ans
Noces d'Albâtre 75 ans
Noces de Chêne 80 ans

Noces de coton → dialogue : ......   Noces d'argent → dialogue : ......

Noces d'étain → dialogue : ....   Noces d'or → dialogue : ....

l'obligation
et l'interdiction
mémento p. 12

📖 n° 181

5. **Écoutez la conversation entre Brigitte, chroniqueuse à la radio, et une auditrice. Retrouvez *Le mémo* que Brigitte a rédigé pour le magazine *Elles*.**

48

1

En cas de **rupture douloureuse**

● Vous avez le droit...
de souffrir et de le montrer.

● Mais vous devez...
réapprendre à vivre,
rencontrer de nouvelles personnes,
retrouver le sourire.

● Vous pouvez...
profiter à nouveau de votre vie de célibataire,
vous consacrer à votre travail.

● Mais il est interdit de...
recommencer à fumer !
rester chez soi dans le noir !
commencer à boire !
rappeler son ex !

● Il faut...
passer à autre chose, oublier et démarrer
une nouvelle vie.

Le mémo de Brigitte

2

En cas de **rupture douloureuse**

● Vous avez le droit...
de rappeler votre ex.

● Mais vous devez...
vous consacrer à votre travail,
profiter à nouveau de votre vie
de célibataire.

● Vous pouvez...
recommencer à fumer,
vous jeter sur le chocolat.

● Mais il est interdit de...
passer à autre chose,
oublier,
commencer à boire.

● Il faut...
démarrer une nouvelle vie, rencontrer de nouvelles
personnes, souffrir et le montrer.

Le mémo de Brigitte

l'amitié
 n° 182 et 183

6. **Écoutez Héloïse et Maude. Identifiez la fiche qui correspond à l'ami recherché.**

Rémy MARTIN

Lire le message de Rémy MARTIN

J'ai 34 ans et 54 copains dans mon réseau
J'habite à Cassis
        Quartier Voir
           Ma profession chirurgien

MON PARCOURS SCOLAIRE

Établissement - Ville
Faculté de Médecine - Marseille - Lycée Saint-Antoine - Phalsbourg

MON CARACTERE		Mes loisirs/mes passions
curieux		la plongée
patient		le piano
bavard		les séries télé américaines
aimable		
drôle		
dynamique		

(1)

Rémy MARTIN

Lire le message de Rémy MARTIN

J'ai 33 ans et 87 amis dans mon réseau
J'habite à Marseille
        Quartier Voir
           Ma profession cardiologue

MON PARCOURS SCOLAIRE

Établissement - Ville
Faculté de médecine - Strasbourg - Lycée Masséna - Nice

MON CARACTERE		Mes loisirs/mes passions
curieux		l'équitation
patient		la musique des années 80
bavard		le piano
aimable		les romans policiers
drôle		
dynamique		

(2)

le discours
indirect
au présent
25. p. 119
 n° 185 à 187

7. **Écoutez la conversation. Retrouvez de quelles personnes on parle et ce qu'on apprend sur elles.**

COMMUNICATION

COMPTABILITE

MARKETING

ASSISTANTE de DIRECTION

RESSOURCES HUMAINES

SECRETARIAT

 n° 184 et 188

PARLER - INTERAGIR

Comment le dire ?

mémento
p. 124

51

8. **Écoutez et jouez les dialogues suivants.**

S'excuser/demander pardon

– Vous m'avez appelé Victor.

– Comment ai-je pu ? Je te demande pardon.

– Oh, ce n'est rien, rien du tout, un nom en vaut un autre, ça ne fait rien. Comment ça va, depuis hier ?

Romain Gary (Émile Ajar), *La vie devant soi*, Folio, p. 155

Demander de l'aide

– Excusez-moi, Monsieur, je suis en panne d'essence, vous pourriez me déposer à la prochaine station-service, s'il vous plaît ?

– Bien sûr, montez !

Réconforter quelqu'un

– Ne t'inquiète pas ! Tout va s'arranger. Tous les couples se disputent… Tu vas voir, je suis sûr que Renaud va t'appeler. Allez, viens on va faire un tour, ne reste pas toute seule !

Échanges

52

9. **Discutez entre vous.**

1. Quelle est pour vous la plus belle preuve d'amour ?
2. Décrivez une situation où vous avez été jaloux.
3. Selon vous, dans quels lieux est-il facile de rencontrer des gens ?
4. Comment avez-vous rencontré votre meilleur ami ?
5. Quelle est la personne avec qui vous vous entendez le mieux ?
6. Selon vous, quelles sont les règles universelles de bonne conduite pour bien vivre en société ?
7. Croyez-vous au «coup de foudre» ? Expliquez pourquoi.
8. Racontez une situation où vous avez ressenti de la honte.
9. Quelle est pour vous la pire manière de rompre avec quelqu'un ?
10. Vous entendez-vous bien, en toutes circonstances, avec votre frère/sœur ?
11. À votre avis, est-ce qu'un collègue de travail peut devenir un ami ? Justifiez votre réponse.

L'AMOUR C'EST : REGARDER ENSEMBLE DANS LA MÊME DIRECTION

TIGNOUS

Jeux de rôles

10. Choisissez une situation, préparez un dialogue et jouez-le.

Situation 1 Vous organisez une fête avec un(e) ami(e). Vous avez fait chacun une liste d'amis communs que vous souhaitez inviter ou non. Vous discutez pour vous mettre d'accord.

Situation 2 Vous vous êtes disputé(e) très violemment avec votre ami(e) ou votre petit(e) ami(e). Vous vous sentez très déprimé(e). Vous téléphonez à «SOS Écoute» qui vous apporte un soutien psychologique et vous donne des conseils.

Sons et lettres

phonétique
p. 108

n° 189 à 191

11. **Répétez l'alternance des sons [o] et [ɔ̃] en respectant l'intonation.**

53

1. Émotion
2. Adoration
3. Possession

4. Nous nous reconnaissons
5. Nous nous adorons
6. Nous sortons ensemble

12. **Écoutez et cochez la case correspondante.**

	1.	2.	3.	4.	5.	6.
[tu]						
[tut]						

13. **Écoutez et répétez en respectant l'intonation de la dispute.**

55

1. Idiot!
2. Tu te moques de moi?
3. Mais, j'en ai marre!
4. Fiche-moi la paix!
5. Laisse-moi tranquille!

6. Va-t-en!
7. Tu me casses les pieds!
8. Tu m'énerves!
9. Arrête de dire n'importe quoi!
10. Ça suffit, maintenant!

LE SAVEZ-VOUS ?

Le langage des couleurs

14. **Lisez ce texte et dites si ces couleurs symbolisent les mêmes sentiments dans votre pays.**

Les couleurs sont partout autour de nous. Sans elles, la vie ne serait pas très drôle ! Les couleurs ont une influence sur notre humeur et notre comportement. En France, chaque couleur est associée à des sentiments différents. Par exemple, le rouge symbolise la passion. On offre une rose rouge pour dire «Je t'aime». Pour la Saint-Valentin, la fête des amoureux, le 14 février, vous verrez dans toutes les boutiques des cadeaux de couleur rouge. Le bleu, lui, évoque plutôt la sagesse, la paix mais aussi la fidélité et a longtemps été une des couleurs des rois de France. Le vert symbolise l'espérance, la jeunesse et le succès ; il est souvent associé à la nature et au printemps.

La couleur associée à la mort est le noir. De nos jours, on porte encore un vêtement noir en signe de deuil lors de l'enterrement d'un proche.

On associe le jaune à la jalousie mais cette même couleur peut aussi évoquer la richesse. Enfin, le blanc représente la pureté et l'innocence. C'est pourquoi, traditionnellement, les mariées portent une robe blanche.

Les couleurs parlent, mais leur langage est sûrement différent d'un pays à l'autre !

Les petits noms

15. **Observez cette liste de *petits noms* donnés par les Français(es) à leur compagnon/compagne et choisissez ceux que vous préférez.**

Mon amour
Amour

Mon canard

Bébé
Mon bébé

MON CŒUR
MON PETIT CŒUR

Chou
petit chou
Chouchou

Minou

Mon poussin

Mon ange

Chérie
Ma chérie
Chéri
Mon chéri

Ma puce
Pupuce Puce

Biche Bichette
Bibiche
Ma biche

Ma princesse

Histoires d'amour

16. Observez le document. Quelle est votre histoire d'amour préférée ? Racontez-la.

Les 10 histoires d'amour préférées des Français

- **N°1** *Roméo et Juliette* de William Shakespeare
- **N°2** *Autant en emporte le vent* de Margaret Mitchell
- **N°3** *Le rouge et le noir* de Stendhal
- **N°4** *Les Hauts de Hurlevent* d'Emily Brontë
- **N°5** *L'Amant* de Marguerite Duras
- **N°6** *Paul et Virginie* de Bernardin de Saint Pierre
- **N°7** *Le grand Meaulnes* d'Alain Fournier
- **N°8** *Carmen* de Prosper Mérimée
- **N°9** *L'écume des jours* de Boris Vian
- **N°10** *Belle du seigneur* d'Albert Cohen

Garder ses distances

17. Lisez ce texte. Trouvez des situations où on adopte ces différentes distances.

Dans les relations avec les autres, il existe un aspect non-verbal très important : c'est la distance physique entre les individus. Pour les chercheurs (dont Edward T. Hall, inventeur du concept de proxémie), il existe quatre types de distances chez l'homme.

— La première est la distance intime (45 centimètres autour de nous) : elle est associée à un fort sentiment d'affection (seule notre mère nous a tenus d'aussi près), et elle ne peut être franchie que par nos proches.

— La deuxième est la distance personnelle et elle varie entre 45 et 120 centimètres. C'est la distance que gardent les animaux d'une même espèce entre eux. Pour les humains, c'est par exemple celle que nous mettons entre nous et une autre personne dans une file d'attente.

— La distance sociale, qui s'étend de 120 à 360 centimètres, commande surtout notre comportement sur le lieu de travail. C'est à notre patron que nous réservons la distance la plus respectueuse : 3 mètres !

— Enfin, la distance publique correspond à l'espace que nous mettons entre nous et un groupe ou une foule.

Ces distances varient selon l'âge, le sexe et la culture de l'individu. Les femmes par exemple se rapprochent davantage les unes des autres que les hommes entre eux ; dans les pays du sud, la distance personnelle est beaucoup plus courte que dans les pays du Nord, ce qui peut parfois créer un malaise quand des personnes de cultures différentes se rencontrent.

Tous les moyens sont bons pour faire respecter aux autres la distance que l'on considère comme nécessaire : sur la plage, on étale sa serviette et on s'entoure de chaussures et de sacs ; à la bibliothèque, on pose des piles de livres autour de soi et on met un vêtement ou un sac sur les chaises proches de soi.

RENCONTRE avec...

DIDIER, directeur d'une agence de rencontres

REPÈRES

Rencontres sur Internet :
● 44 000 célibataires se connectent au site de rencontre Meetic chaque jour (janvier 2009).

Rencontres dans une agence :
● les prix pour une inscription varient de 900 € à 2 400 € pour un an ;
● la loi du 23 juin 1989 réglemente cette profession qui s'adresse à une clientèle fragile.
● Il y a plus de 1 000 agences de rencontres en France.

INTERVIEW

– Pourquoi avez-vous choisi ce métier ?

– J'ai un parcours un peu atypique : j'ai été successivement prof d'histoire-géographie, organisateur de voyages, moniteur de voile, mais dans tous ces métiers, il est question de relations humaines, n'est-ce pas ? Alors à mon retour du Canada où j'ai vécu plusieurs années, je me suis tourné vers une profession demandant des qualités d'écoute et de conseil.

– Qui sont les personnes qui viennent dans votre agence ?

Nous avons un peu tout le monde, mais c'est vrai qu'il y a une majorité de gens qui ont autour de 45 ans, qui ont bien réussi leur vie professionnelle, et qui par contre ont échoué dans leur vie familiale ou sentimentale. Ils viennent nous voir pour rebondir après une séparation ou un divorce, parfois un décès.

– Les sites de rencontre sur Internet vous font-ils concurrence ?

– Bien sûr, d'autant plus que les services de notre agence sont beaucoup plus chers que ce que coûtent les sites Internet. Par contre, nous recevons souvent des «déçus d'Internet», à la recherche de plus de sérieux. Nous, nous proposons à nos clients un test de cent questions, nous vérifions le plus possible les critères objectifs (âge, profession, situation familiale...), nous ne mettons en relation que des personnes «libres», et nous ne travaillons pas avec un fichier photos...

– Proposez-vous seulement des rencontres amoureuses ?

– Non, nous organisons aussi des rencontres amicales, fondées sur la pratique des loisirs. En effet, les gens sont de plus en plus seuls, mais ils ont de moins en moins de temps, alors ils ont besoin d'un coup de pouce pour rencontrer les autres.

– Avez-vous beaucoup de réussites ?

– Pas 100 %, bien sûr ! Mais je peux dire que grâce à nous, nos clients vont mieux, ils reprennent confiance en eux, en leur capacité à plaire. Un phénomène amusant : plusieurs de nos clients, pendant qu'ils étaient inscrits dans notre agence, ont fait une rencontre importante pour eux, mais pas parmi les personnes que nous leur avons présentées. Ils ont fait cette rencontre à l'extérieur de l'agence. Dans ce cas-là, c'est aussi une réussite, non ?

TÉMOIGNAGES

Pouvez-vous imaginer vous inscrire dans une agence matrimoniale pour trouver l'âme sœur ?

Gabriel, 52 ans

J'ai rencontré ma femme comme ça. On nous a mis en relation, et nos profils correspondaient parfaitement ! Depuis, on ne se quitte plus. N'ayez pas peur, allez-y vous aussi !

Pascal, 44 ans

Pas besoin, avec Internet, maintenant, on peut rencontrer facilement beaucoup de personnes gratuitement… Et puis, je ne supporterais pas que quelqu'un s'occupe de mes affaires !

Daphné, 27 ans

Je pense que si un jour je suis seule et complètement déracinée, je pourrai y aller… Non, je m'inscrirais plutôt dans un club de sport ou une association, c'est plus amusant !

INSOLITE

Pour le meilleur et… pour le pire !

L'amour peut conduire à toutes sortes de comportements, parfois étranges et même extrêmes. Certains sont prêts à faire des choses folles par amour : faire une déclaration en direct à la télévision, s'endetter pendant des années pour offrir une superbe bague de fiançailles, se faire tatouer le portrait de l'être aimé sur le corps ou modifier son apparence grâce à la chirurgie esthétique. D'autres encore sont prêts à tout quitter, leurs amis, leur travail, leur famille ou leur pays. Pour ceux qui ont besoin de conseils amoureux, il existe, sur Internet, des sites qui vous accompagnent tout au long des étapes d'une histoire d'amour : il y a, bien entendu, ceux qui permettent de faire une rencontre et d'autres qui donnent des avis d'*experts* pour réussir sa vie de couple. Des sites marchands vous proposent d'organiser une demande en mariage insolite, dans un stade de foot, une montgolfière ou sous une pluie de pétales de roses ! Certains sites répondent, eux, à la question « Comment rompre ? » et proposent, par exemple, « 10 astuces pour rompre en douceur ». Enfin, il existe des sites pour ceux et celles qui viennent d'être victime d'une rupture où on peut trouver des témoignages et des conseils pour récupérer son ex-femme, son ex-mari ou son ex-petit(e) ami(e).

QU'EN PENSEZ-VOUS ?

1. « Qui se ressemble s'assemble ». Que pensez-vous de ce proverbe ?
2. Un homme et une femme peuvent-ils être seulement amis ?
3. Peut-on rencontrer l'âme sœur au travail ?

FAISONS LE POINT

Formez des équipes et répondez aux questions.

1 point

1. En France, quelle couleur est associée au travail illégal ?
2. Vous êtes dans le bus et vous marchez sur les pieds de quelqu'un. Que lui dites-vous ?
3. Donnez le nom de deux personnages d'une histoire d'amour connue.
4. Quel verbe utilise-t-on pour dire «se parler à nouveau après une dispute» ?
5. Citez deux événements heureux et deux événements malheureux de la vie amoureuse.

2 points

6. Classez ces mots du plus proche au plus lointain du point de vue des sentiments : un copain – un ami – un collègue.
7. Peut-on dire : «Tout le monde va bien» ?
8. Quand on dit : «Je vous présente mon petit ami», s'agit-il d'une relation d'amour ou d'amitié ?
9. Lisez les phrases suivantes à voix haute : «Tout va bien. Tout est merveilleux entre nous. Tous nos amis nous envient.»
10. Votre ami(e) a échoué à son examen. Que lui dites-vous pour le/la réconforter ?

3 points

11. Citez deux sentiments positifs et deux sentiments négatifs.
12. Peut-on dire : «Téléphone à moi» ?
13. Écrivez deux formules utilisées à la fin d'une lettre personnelle.
14. Écrivez deux expressions que l'on peut utiliser quand on se dispute.
15. Peut-on dire : «Elle faut aller chercher ses enfants à l'école» ?

4 points

16. Écrivez la phrase «Assieds-toi !» à la forme négative.
17. Lisez la phrase suivante à voix haute : «Mon patron ordonne à ses collaborateurs de se comporter correctement sans commérages ni conspirations.»
18. Peut-on dire : «Ma voisine me raconte tout que les autres locataires font» ?
19. Transformez au discours indirect : «Est-ce que vous venez avec vos enfants ?» demande-t-il.
20. Écrivez d'une autre manière l'interdiction suivante : «On ne peut pas avoir plusieurs époux/épouses en France.»

Douce France...

► DANS CE DOSSIER

Vous allez aborder ces domaines :
- > Le tourisme
- > L'histoire et la géographie
- > L'organisation politique et administrative

Vous allez apprendre à :
- > Demander des informations touristiques
- > Exposer votre point de vue et insister

Vous allez utiliser :
- > Les pronoms relatifs (qui, que, où)
- > Le passé composé (révision)
- > L'expression de la durée
- > L'opposition passé composé/imparfait

Et aussi découvrir :
- > Une profession : propriétaire d'une maison d'hôtes

Pêle-mêle

Méditerranée*
administration*
château*
guide*
relief*
spécialité régionale*
industriel hexagone*
événemen
région préfecture secteur d'activité*
côte* réseau rou
patrimoine* historique République*
fonctionnaire* découvrir
fleuve*
Outre-mer entreprise*
frontière*
site touristique
commune Alpes*
gouverner innovation* département*
monument*

n° 195 à 197

Qu'est-ce que c'est ?

les pronoms
relatifs
10. p. 112

📖 n° 198, 199

1. **Observez les documents et situez les trois régions sur la carte.**

1. À voir en Corse

◆ La maison Bonaparte d'Ajaccio où l'empereur est né.
◆ Les îles Lavezzi, paradis de la plongée sous-marine.
◆ À faire : le fameux GR20, chemin de randonnée qui traverse toute l'île !

À rapporter
◆ Le fromage de brebis que tout le monde connaît : le brocciu !

2. À voir en Rhône-Alpes

◆ Le quartier de la Croix-Rousse à Lyon qui domine le Rhône.
◆ Le quartier du vieux Lyon et ses nombreux restaurants qui nous font découvrir les spécialités de la capitale de la gastronomie.

À rapporter
◆ De la charcuterie, des noix
◆ De la soie

3. À voir en Haute-Normandie

◆ Les impressionnantes falaises d'Étretat.
◆ Rouen, la ville aux cent clochers, la cathédrale Notre-dame et la place du vieux marché où les Anglais ont brûlé Jeanne d'Arc.
◆ Les abbayes qui longent la Seine.

À rapporter
◆ Toutes les spécialités à base de pommes: du cidre, du calvados…

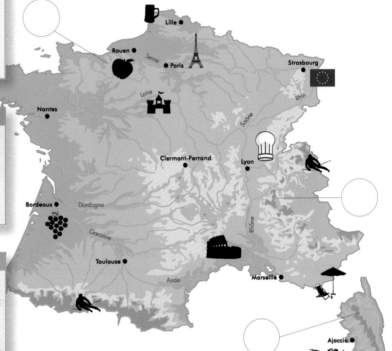

2. **Lisez cette biographie et retrouvez à quelle région de l'activité 1 ce personnage est associé.**

révision du
passé composé
7. p. 116

📖 n° 201 à 206

NAPOLÉON BONAPARTE est né sur l'île de Beauté en 1769. Il a d'abord été général et a gagné de nombreuses batailles en Italie et en Égypte. En 1799, il a commencé à gouverner la France : il est devenu premier consul, puis empereur en 1804, sous le nom de Napoléon Iᵉʳ. Il a beaucoup réorganisé et réformé l'État et la société. Il a notamment créé en 1804 le Code civil (qui rassemble toutes les lois), toujours utilisé depuis. Il a conquis et gouverné une grande partie de l'Europe de l'ouest mais il a perdu sa dernière bataille à Waterloo (Belgique) en 1815. Il est mort en exil sur l'île de Sainte Hélène (Royaume-Uni) en 1821.

l'expression
de la durée
26 p. 119

📖 n° 208 à 210

3. **À votre tour, rédigez la biographie d'un personnage historique.**

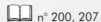

📖 n° 200, 207

Qu'est-ce qu'ils disent ?

ÉCOUTER

passé composé
imparfait
19. p. 116

n° 211 à 2

4. Écoutez et entourez les inventions dont la guide parle.

56

1819
stéthoscope

1818
vélo

1550
Sauternes

1838
daguerréotype

1851
réfrigérateur

1876
téléphone

demander
des information
touristiques
mémento p. 12

n° 214, 2

5. Écoutez les demandes des touristes et dites quel document
l'employé de l'office de tourisme va leur donner.

57

①

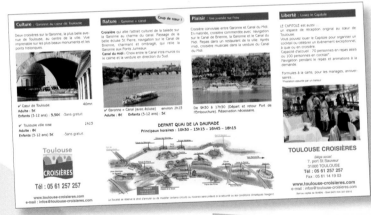

②

③

Office de Tourisme de Toulouse

Documents disponibles à l'accueil :
→ dépliant du musée des Augustins
  (musée des Beaux-arts)
→ liste des hôtels
→ liste des restaurants
→ brochure du Bowling
→ brochure du Café Théâtre Les Minimes

Office de Tourisme de Toulouse
BP 38001 – 31080 Toulouse Cedex 6
Tél. 05 61 11 02 22 – Fax 05 61 23 74 97
Courriel : infos@ot-toulouse.fr

④

**Les piscines
municipales**
Hiver 2009-2010

6. Écoutez et associez chaque photographie à une question-réponse.

l'organisation
politique
de la France

📖 n° 216, 217

a. Les principaux partis politiques français

b. L'Assemblée nationale

c. Une carte d'électeur

d. Le palais du Luxembourg

e. Le gouvernement

f. Le palais de l'Élysée

7. Écoutez et identifiez la région dont parlent Stéphanie et Lisa.

exposer
son point de vue
et insister
mémento p. 125

📖 n° 219

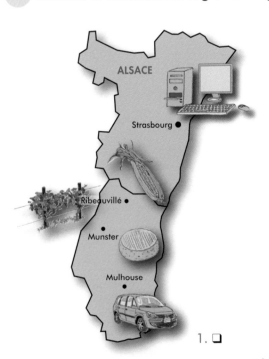

ALSACE

Strasbourg ●

Ribeauvillé ●

Munster

Mulhouse

1. ☐

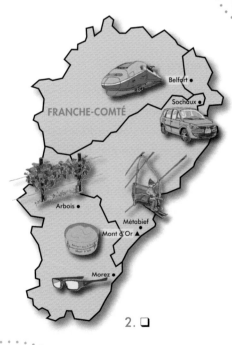

FRANCHE-COMTÉ

Belfort ●

Sochaux ●

Arbois ●

Métabief

Mont d'Or ▲

Morez ●

2. ☐

📖 n° 218,
220, 221

PARLER - INTERAGIR

Comment le dire ?

mémento
p. 125

8. **Écoutez et jouez les dialogues suivants.**

60

Conseiller

– Dis, toi qui connais bien Paris, tu pourrais me donner des idées de visite ?
– Évidemment ! Alors, tu devrais commencer par le musée d'Orsay.
– Tu crois ?
– Oui, tu dois absolument y aller. En plus, en ce moment, il y a une exposition sur Renoir à ne pas manquer !

Se souvenir

– Tu te souviens de maman ?
– Bien sûr que je me souviens de votre mère. C'était une vraie fée. C'était une cuisinière merveilleuse.

Pascal Quignard, *Villa Amalia*, Gallimard, p. 18

Demander une autorisation

– Cette cave est vraiment magnifique ! Tout comme votre vin ! Est-ce que ça vous dérange si je prends des photos ?
– Non pas du tout. Allez-y, mais faites attention à ne pas casser de bouteilles. Certaines d'entre elles sont centenaires !
– Oui, oui, promis je fais attention.

Échanges

9. **Discutez entre vous.**

61

1. À quels monuments célèbres associez-vous la France ?
2. Selon vous, quels monuments représentent le mieux votre pays ?
3. Quels sont les symboles qui représentent votre pays ?
4. Quels personnages historiques français connaissez-vous ?
5. Qu'aimez-vous faire quand vous découvrez un pays pour la première fois ?
6. Si vous êtes déjà venu(e) en France, qu'est-ce qui vous a le plus surpris(e) ?
7. Quelle région avez-vous visitée ou aimeriez-vous visiter en France ? Pourquoi ?
8. Qu'est-ce que la majorité des personnes de votre pays connaissent de la France ?
9. Quelle(s) différence(s) y a-t-il entre le système politique de votre pays et celui de la France ?
10. Que faites-vous pour vous informer avant de visiter un pays ?

Jeux de rôles

10. **Choisissez une situation, préparez un dialogue et jouez-le.**

Situation 1 Vous arrivez à Lille avec des amis et vous allez à l'office de tourisme demander des renseignements sur ce que vous pouvez y faire. Vous vous servez des informations ci-dessous.

La Grand Place
Ce lieu magnifique offre un panorama de l'architecture du XVIIᵉ au XXᵉ siècle.

Le vieux Lille
Dans ses ruelles, de nombreuses boutiques, des galeries d'art, des cafés et des restaurants.

Le beffroi de l'hôtel de ville
Avec 104 m de haut, il fait partie du patrimoine mondial de l'Unesco.

La tarte au sucre
Goûtez cette spécialité du Nord de la France !

Situation 2 Vous êtes au bureau de poste. Vous voulez envoyer dans votre pays le cadeau typiquement français que vous venez d'acheter pour une amie. Vous demandez à l'employé(e) comment faire. Utilisez les mots suivants :

→ le/la client(e) : envoyer, colis/paquet, timbre, boîte aux lettres, recevoir ;

→ l'employé(e) : remplir, destinataire, expéditeur, adresse, code postal.

Sons et lettres

phonétique
p. 108
n° 222 à 224

11. **Écoutez et cochez la case qui correspond à ce que vous entendez.**

62

1. ❏ J'ai été en colère.
2. ❏ J'ai pensé à toi.
3. ❏ Tu t'es baigné ?
4. ❏ Je l'ai mangé.
5. ❏ J'ai joué aux dés.

❏ J'étais en colère.
❏ Je pensais à toi.
❏ Tu te baignais ?
❏ Je le mangeais.
❏ Je jouais aux dés.

12. **Écoutez les mots et cochez la case qui correspond au son [e] ou au son [ɛ].**

	[e]	[ɛ]
1.		
2.		
3.		
4.		
5.		
6.		

13. **Écoutez et répétez.**

64

1. Taisez-vous !
2. C'est magnifique !
3. Vous connaissez Paris ?
4. Tu habites à Reims.
5. Vous connaissez Paris.

LE SAVEZ-VOUS?

La France administrative

14. **Lisez ce texte et, à l'aide d'une carte de France, donnez un exemple pour chaque division administrative.**

Il existe plusieurs divisions administratives* en France, qui s'emboîtent comme des poupées russes. La plus petite est la commune, qui peut être un village, une petite ou une grande ville. Elle est administrée par le maire et le conseil municipal, élus pour six ans.

Ensuite, on trouve le département : il y en a 96 en France métropolitaine. Chaque département est géré par le conseil général, élu pour 6 ans. L'origine du nom des départements est la plupart du temps une rivière ou une montagne (exemple : la Loire, le Jura). Les départements portent un numéro, résultat d'un classement par ordre alphabétique (exemple : 01 = Ain). On retrouve ce numéro

dans le code postal (exemple : 01000 Bourg-en-Bresse). Dans chaque département, il y a un préfet qui représente l'État et qui est nommé en Conseil des ministres. Il travaille à la préfecture.

Les départements sont regroupés en 22 régions, gérées par le conseil régional, élu pour 6 ans. Depuis les lois sur la décentralisation, les départements et les régions ont un rôle plus important. Signalons enfin que certains départements et régions se trouvent très loin de la métropole, outre-mer, comme par exemple la Martinique ou Mayotte.

Au plus haut niveau, on trouve l'État français, qui lui-même fait partie de l'Union européenne.

* séparations du territoire.

Des symboles et des valeurs

15. **Observez les photographies et expliquez ce qu'elles symbolisent pour vous.**

LIBERTÉ
ÉGALITÉ
FRATERNITÉ

① ② ③ ④ ⑤ ⑥

La Marseillaise

Allons enfants de la Patrie
Le jour de gloire est arrivé !
Contre nous de la tyrannie
L'étendard sanglant est levé
Entendez-vous dans nos
    campagnes
Mugir ces féroces soldats ?
Ils viennent jusque dans vos bras,
Égorger vos fils, vos compagnes !

Aux armes citoyens
Formez vos bataillons
Marchons, marchons
Qu'un sang impur
Abreuve nos sillons
...

Vous avez dit tourisme?

16. **Lisez le texte et dites si vous ressemblez aux touristes français.**

La France est, avec près de 80 millions de touristes par an, la première destination touristique mondiale devant l'Espagne et les États-Unis. Plus de trois quarts des visiteurs qui viennent dans l'hexagone sont Européens, suivis par les Américains puis les Asiatiques. Les sites les plus visités sont parisiens pour la plupart : la cathédrale Notre-Dame, le Louvre et bien sûr la tour Eiffel. Mais d'autres villes et sites attirent aussi les visiteurs : Strasbourg pour ses balades en bateau sur le Rhin, Chamonix pour sa mer de Glace et le mont Blanc, sans oublier les châteaux de la Loire.

Les parcs d'attraction thématiques culturels (comme Vulcania ou le Futuroscope) ou ludiques (Astérix, le Puy du fou) sont eux aussi très fréquentés. La France offre une très grande variété de paysages et une grande richesse culturelle. C'est sans doute pour cela que les Français sortent assez peu de leur pays au moment des vacances : ils préfèrent bronzer sur les plages de la Côte d'Azur ou encore profiter des nombreux festivals. Quand ils voyagent à l'étranger, ils privilégient des destinations proches comme la Tunisie, les îles grecques, le Maroc, l'Italie ou l'Espagne.

Les langues régionales en France

17. **Observez le document et dites si, dans votre pays, il existe des langues régionales.**

Le flamand
Langue germanique

Le francique mosellan
Langue germanique

Le breton
Langue celtique

4 familles de langues sont parlées en France :
– les langues de la même famille que l'allemand (germaniques)
– les langues qui viennent du latin (romanes)
– les langues que l'on parle dans certaines régions du Royaume-Uni et de l'Irlande (celtiques)
– la langue basque.

L'alsacien
Langue germanique

Le franco-provençal
Langue romane

Le basque

Le catalan
Langue romane

Le corse
Langue romane

À retenir :

→ Plus de 3 millions de Français parlent une langue régionale.

→ La chaîne de télévision publique France 3 diffuse des programmes en langue régionale.

→ Dans certaines régions, comme l'Alsace, la langue régionale est enseignée à l'école.

n° 225 à 228

RENCONTRE avec...
VÉRONIQUE, propriétaire d'une maison d'hôtes

REPÈRES

- Il y a environ 76 000 chambres d'hôtes en France.
- Le prix d'une nuit est d'environ 60 €, petit-déjeuner inclus.
- Pour préparer leurs voyages, 77% des Français utilisent Internet.
- Environ 60% des séjours des touristes français ont lieu chez la famille, les amis ou dans une résidence secondaire.
- Les Français préfèrent partir à la mer (35% des séjours) même si la montagne reste la plus attractive l'hiver.

INTERVIEW

– Véronique, pouvez-vous nous dire pourquoi vous avez décidé d'ouvrir une maison d'hôtes ?
– Je travaillais dans un magasin de photographies, et j'ai été licenciée. Peu de temps après, je me suis installée avec mon mari dans la région. Nous avons trouvé cette vieille ferme à rénover. Comme il y avait de la place, nous avons décidé de consacrer une partie du bâtiment à l'accueil des touristes.

– Combien avez-vous de chambres ?
– Nous avons quatre chambres plus une pour les handicapés. Nous pouvons accueillir 15 personnes.

– Qui vient chez vous ?
– Ceux qui s'arrêtent chez nous sont souvent des marcheurs. Nous sommes situés sur le chemin de Saint-Jacques-de-Compostelle. Nous recevons aussi des touristes étrangers qui vont sur la Côte d'Azur ou dans les Alpes et qui ne veulent pas faire le trajet d'un seul coup. Parfois, nous avons des gens qui viennent pour un mariage dans les environs.

– Que recherchent-ils en venant chez vous ?
– Le calme et le cadre avant tout. C'est moins impersonnel qu'un hôtel, nos chambres sont grandes, thématisées et chaleureuses. Ensuite, je pense qu'ils viennent aussi pour le contact avec quelqu'un qui connaît la région et avec qui ils peuvent parler des activités qu'on peut y faire.

– Est-ce qu'ils mangent ici ?
– Oui, ils prennent leur petit-déjeuner et beaucoup dînent aussi ici. Il y a souvent une bonne ambiance, le repas leur permet de se rencontrer : c'est très convivial. J'ai un potager, je leur sers donc mes légumes.

– Comment les clients vous connaissent-ils ?
– Nous faisons partie des gîtes de France et nous avons aussi notre propre site Internet mais c'est surtout le bouche-à-oreille qui nous amène des clients.

– Vous avez des projets ?
– Oui, on va certainement restaurer une grange pour y faire une salle de réunion et j'aimerais aussi essayer de cultiver et de vendre des plantes aromatiques.

– Tout cela vous demande beaucoup de temps ?
– Oui et non. C'est assez irrégulier. On ne travaille pas toute l'année de la même manière. C'est vrai que parfois, en pleine saison, c'est dur car il faut faire les chambres, préparer les repas et s'occuper des clients en même temps. Mais bon, je travaille à mon compte, et c'est le plus important !

TÉMOIGNAGES

Que faites-vous pendant vos vacances ?

Benjamin, 41 ans

Je prends mon sac à dos et je pars à l'autre bout du monde. Une fois sur place, je dors chez l'habitant. Je crois que c'est comme ça qu'on découvre vraiment d'autres cultures.

Nadia, 52 ans

Chaque année, je vais dans le même camping sur la Côte d'Azur. J'y ai mes habitudes et je connais tout le monde. C'est un peu comme une deuxième famille, on fait tout ensemble.

Clarisse, 40 ans

Nous, on va toujours dans un club de vacances. Comme ça, il y a des activités pour toute la famille. Les enfants sont pris en charge et moi, je peux profiter de mon mari !

INSOLITE

Il en faut pour tous les goûts

Les goûts des vacanciers ont changé : le repos, le soleil et la plage ne leur suffisent plus. Certains ont envie d'aider les autres : ils partent donc comme volontaires avec de nombreuses associations humanitaires qui proposent d'éduquer les enfants, d'assister un scientifique en mission pour protéger l'environnement ou encore de participer à la restauration d'un monument historique. D'autres souhaitent s'éloigner du monde agité de notre époque et choisissent de faire une retraite dans un monastère où ils peuvent méditer tranquillement. Ceux qui veulent décompresser et faire la fête ont la possibilité de partir pour les pays du sud de l'Europe pour danser toutes les nuits et faire des rencontres. La tendance est aussi au développement de nouvelles manières de voyager : un guide professionnel n'est plus indispensable pour visiter une ville ! Les touristes peuvent faire appel à un habitant qui leur montrera ses endroits préférés. Une autre nouveauté consiste à aller dormir sur le canapé d'un inconnu qui accueille les visiteurs de passage pour une nuit ou pour quelques jours et qui viendra peut-être un jour sur le leur !

QU'EN PENSEZ-VOUS ?

1. Faut-il absolument faire quelque chose pendant ses vacances ?
2. Que pensez-vous de ceux qui passent toujours leurs vacances au même endroit ?
3. « Partir en vacances, c'est un luxe. » Que pensez-vous de cet avis ?
4. « Les voyages forment la jeunesse. » Êtes-vous d'accord ou non ?

LE
FAISONS LE POINT

Formez des équipes
et répondez aux questions.

1 point

1. Donnez le nom de trois spécialités culinaires régionales françaises.
2. Donnez le nom d'un des inventeurs de la photographie.
3. À quel type d'industrie appartient l'entreprise «Peugeot-Citroën»?
4. Le TGV est le train le plus rapide du monde. Vrai ou faux?
5. On entend le son [e] dans le mot «assiette». Vrai ou faux?

2 points

6. Citez trois documents disponibles dans un office de tourisme.
7. Citez le nom de deux personnages historiques français.
8. Combien de fois, entendez-vous le son [ɛ] dans la phrase: «Quand elle a ouvert la fenêtre, un merle est entré.» 3, 4 ou 5 fois?
9. Écrivez trois mots qu'on utilise plus particulièrement à la Poste.
10. Pourquoi les Français ne voyagent-ils pas souvent à l'étranger?

3 points

11. Conjuguez le verbe «offrir» au passé composé.
12. Écrivez une phrase avec «à partir de».
13. Le passé composé est utilisé pour parler d'une action. Vrai ou faux?
14. Écrivez le verbe à l'infinitif et le participe passé correspondant au nom «élection».
15. Avec quels pays l'Alsace partage-t-elle sa frontière?

4 points

16. Complétez la phrase «J'aime visiter des lieux ...... on peut apprendre des choses».
17. Écrivez deux expressions pour insister sur votre point de vue.
18. Fredonnez (chantez sans les paroles) l'air de la Marseillaise, l'hymne national français.
19. La phrase «Elles sont rentrés» est-elle correcte?
20. Combien y a-t-il de régions en France métropolitaine?

Sur le chemin des mots...

> ## ► DANS CE DOSSIER

Vous allez aborder ces domaines:
- > Le français familier, standard et soutenu
- > Les emprunts du français
- > La francophonie
- > Les langues régionales

Vous allez apprendre à:
- > Différencier l'oral de l'écrit
- > Comprendre et rédiger une définition

- > Former des mots
- > Comprendre le langage texto

Vous allez utiliser:
- > L'adverbe
- > La nominalisation

Et aussi découvrir:
- > Une profession: linguiste

Pêle-mêle

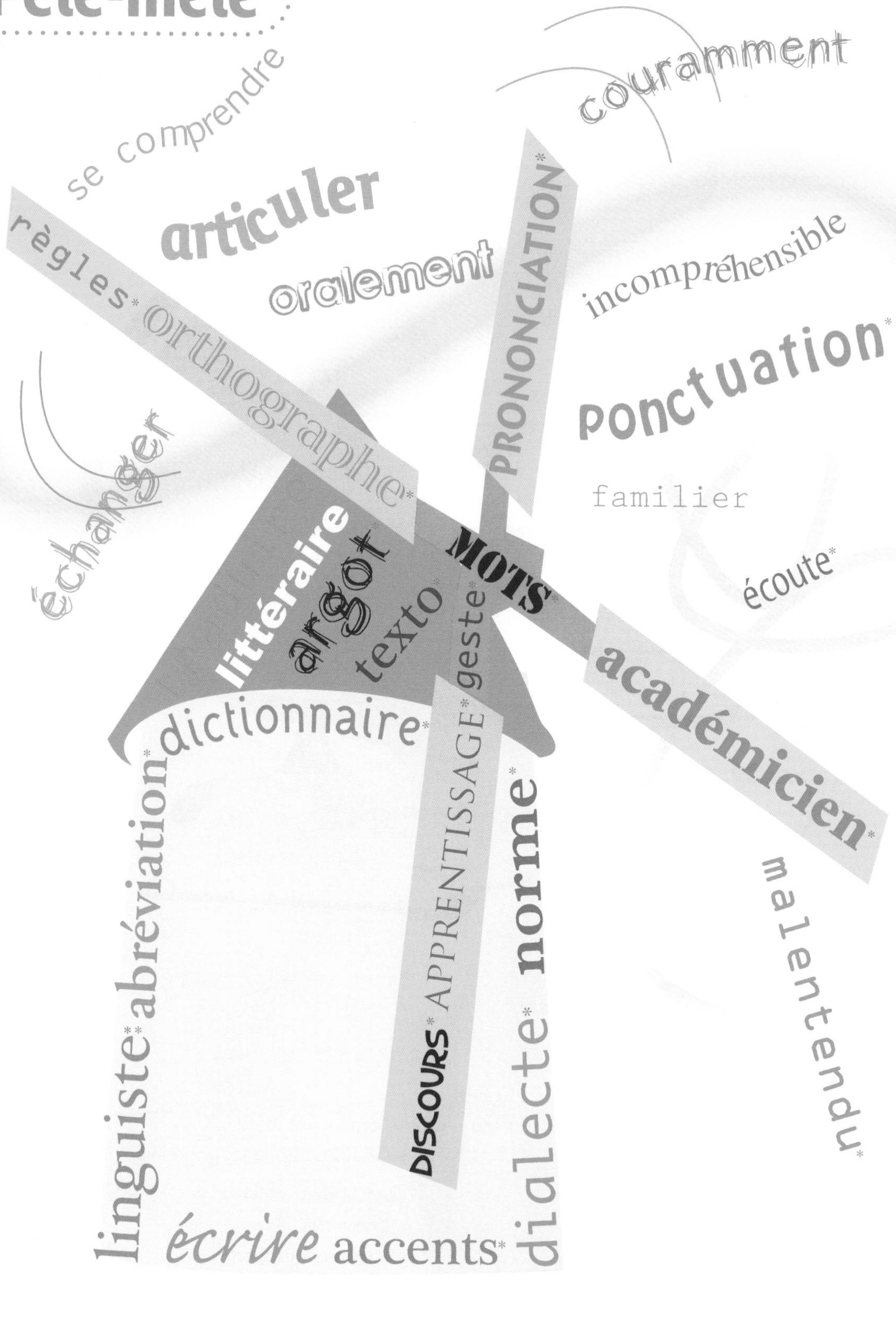
se comprendre
couramment
articuler
règles*
orthographe*
oralement
PRONONCIATION*
incompréhensible
ponctuation*
échanger
familier
littéraire
argot*
texto*
MOTS*
geste*
écoute*
académicien*
dictionnaire*
APPRENTISSAGE*
linguiste*
abréviation*
norme*
malentendu*
DISCOURS*
dialecte*
écrire
accents*

n° 229 à 231

Qu'est-ce que c'est ?

le français familier, standard et souteneu

n° 232, 233

1. Observez les documents et retrouvez les synonymes du mot «parler» en français familier et souteneu.

Faites de la musique,
le Crédit Mutuel
vous donne le **LA**

Être banque de la musique,
c'est offrir au plus grand nombre
l'accès à toutes les musiques.
Alors, que vore projet soit
individuel, collectif ou associatif,
le Crédit Mutuel est là
pour vous accompagner !

①

Crédit ♻ Mutuel
LA banque à qui parler

Crédit ♻ Mutuel
LA banque à qui parler

Monsieur,
Je souhaiterais m'entretenir avec vous du projet de réorganisation de votre service. À cet effet, je vous propose une réunion le jeudi 8 avril à 16h. Cet horaire vous conviendrait-il ? À défaut, veuillez me faire connaître un jour et un horaire qui vous conviendrait davantage. …/…

● 180, bd de l'université – 67000 Strasbourg – Tél. 03 78 52 98 – Fax 03 78 52 00 – www.wox.fr

②

TU AS L'AIR FATIGUÉ !

PAS ÉTONNANT, J'AI TCHATCHÉ UNE PARTIE DE LA NUIT AU TÉLÉPHONE AVEC NADIA

③

la formation de l'adverbe de manière
20. p. 116

n° 234, 235

2. Observez les définitions suivantes et expliquez comment on forme l'adverbe «merveilleusement».

merveilleusement adv. ◆*Tout va merveilleusement bien.* → *admirablement.*
merveilleux, merveilleuse adj. **1.** Étonnant par son côté magique, surnaturel. *Un conte merveilleux.* → *fantastique.* **2.** Très beau, admirable. → *extraordinaire. Un paysage merveilleux.* → *magnifique.* ■ *contr.* affreux.
➤ Autres mots de la même famille : ÉMERVEILLEMENT, ÉMERVEILLER

Source : *Petit Robert Junior*

rédiger une définition
mémento p. 125

n° 236 à 238

3. À votre tour, rédigez les définitions des mots imaginaires suivants : un châteaumate et un crayongle.

①

②

n° 239

Qu'est-ce qu'ils disent ?

ÉCOUTER

la formation des mots
11. p. 112
n° 240 à

4. Écoutez l'entretien et dites quel questionnaire l'invitée a complété.

65

Questionnaire de Bernard Pivot	
1. Votre mot préféré	Dormir
2. Le mot que vous détestez	Menteuse
3. Votre drogue favorite	Aimer
4. Le son, le bruit que vous aimez	La pluie
5. Le son, le bruit que vous détestez	La craie qui crisse sur le tableau
6. Votre juron, gros mot ou blasphème favori	Merde
7. Homme ou femme pour illustrer un nouveau billet de banque	Simone Veil (femme politique)
8. Le métier que vous n'auriez pas aimé faire	Caissière
9. La plante, l'arbre ou l'animal dans lequel vous aimeriez être réincarné	Un arbre en automne
10. Si Dieu existe, qu'aimeriez-vous, après votre mort, l'entendre vous dire ?	Tu es déjà là !

①

Questionnaire de Bernard Pivot	
1. Votre mot préféré	Passionnée
2. Le mot que vous détestez	Obligatoirement
3. Votre drogue favorite	L'amour
4. Le son, le bruit que vous aimez	Quand il pleut
5. Le son, le bruit que vous détestez	Le réveil qui sonne le matin
6. Votre juron, gros mot ou blasphème favori	Merde
7. Homme ou femme pour illustrer un nouveau billet de banque	Enki Bilal (dessinateur de BD)
8. Le métier que vous n'auriez pas aimé faire	Caissière de supermarché
9. La plante, l'arbre ou l'animal dans lequel vous aimeriez être réincarné	Un vieil arbre qui donne beaucoup d'ombre
10. Si Dieu existe, qu'aimeriez-vous, après votre mort, l'entendre vous dire ?	Tu es déjà là !

②

5. Écoutez et retrouvez quel texto chaque personne va envoyer.

66

le langage text
n° 247, 24

slt!G 1super id pour le kdo de Clément ! Appelle-moi jeudi mat1. @ +

a.

Bjr. ok pour rdv lundi dvt ciné à 8h. @ lundi !

b.

Mon lapin, suis NRV. C la cata. Peux pas venir. Je t'M.

c.

Salut ! koi de 9 ? Tu vas bi1 ? 1 Kfé demain à 4h ça te dit ? @ bientôt !

d.

les marques
de l'oral
p. 108

n° 249, 250

6. **Écoutez la conversation et entourez dans le mail les erreurs commises à l'écrit par Gisèle.**

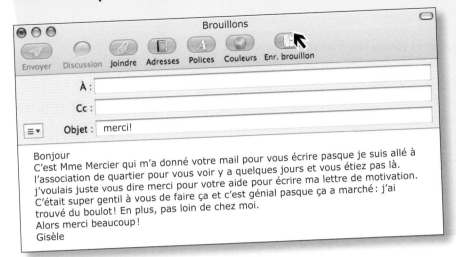

Brouillons

Envoyer Discussion Joindre Adresses Polices Couleurs Enr. brouillon

À :

Cc :

Objet : merci!

Bonjour
C'est Mme Mercier qui m'a donné votre mail pour vous écrire pasque je suis allé à l'association de quartier pour vous voir y a quelques jours et vous étiez pas là. j'voulais juste vous dire merci pour votre aide pour écrire ma lettre de motivation. C'était super gentil à vous de faire ça et c'est génial pasque ça a marché : j'ai trouvé du boulot ! En plus, pas loin de chez moi.
Alors merci beaucoup !
Gisèle

les emprunts

n° 252, 253

7. **Écoutez puis complétez la liste avec les mots que les candidats doivent retrouver.**

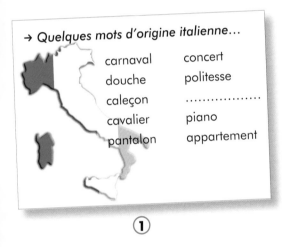

→ *Quelques mots d'origine italienne...*

carnaval   concert
douche   politesse
caleçon   ....
cavalier   piano
pantalon   appartement

①

→ *Quelques mots d'origine anglo-saxonne...*

jean   canette
.... best-seller
bazooka   bifteck
paquebot   zoom
chèque   bébé

②

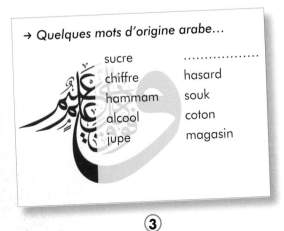

→ *Quelques mots d'origine arabe...*

sucre   ....
chiffre   hasard
hammam   souk
alcool   coton
jupe   magasin

③

→ *Mots d'autres origines...*

.... chic
(Allemagne)
moustique sieste
(Espagne)
sympathique Eurêka
(Grèce)
banane baroque
(Portugal)
kiosque tulipe
(Turquie)

④

n° 251, 254

mémento
p. 125

Comment le dire ?

PARLER - INTERAGIR

8. **Écoutez et jouez les dialogues suivants.**

69

S'assurer que son interlocuteur a bien compris

– Si tu veux aller à la bibliothèque François Mitterrand, tu prends le métro. Tu prends la ligne 14, tu vois ?
– Je vois. Mais… mais je la prends où ?
– D'abord, tu prends la ligne 1, direction Château de Vincennes…
– Euh, oui…
– Et tu changes à la Gare de Lyon. C'est clair ?
– Je change oui, mais… mais je vais où ?
– Eh bien, là, tu prends la ligne 14, direction Olympiades. Tu comprends ?
– Ouais, ouais…

Demander de répéter

– Je connais cette fille. […]
– Qu'est-ce que tu dis ?
– Elle s'appelle Julie Corrençon, elle est journaliste à Actuel.

Daniel Pennac, *La fée carabine*, Folio, p. 103

Demander de préciser

– Tu parles vraiment mal depuis quelque temps !
– Quoi ? Qu'est ce que tu veux dire ?
– Eh bien, ton vocabulaire est beaucoup trop familier ! Tu te laisses aller !

Échanges

9. **Discutez entre vous.**

70

1. Combien de langues parlez-vous ?
2. Êtes-vous doué(e) pour les langues ?
3. Quelle(s) langue(s) aimeriez-vous parler ?
4. Pour vous, y a-t-il des langues plus belles, plus difficiles, plus utiles que d'autres ?
5. Y a-t-il beaucoup de différences entre l'oral et l'écrit dans votre langue ?
6. Quels mots familiers connaissez-vous en français ?
7. Quels sont les pays où l'on parle la même langue que la vôtre ?
8. Y a-t-il des langues régionales, des dialectes dans votre pays ?
9. Quel(s) dictionnaire(s) consultez-vous régulièrement ?
10. L'orthographe est-elle importante pour vous ? Comprenez-vous l'importance que les Français accordent à l'orthographe ?
11. Quels types de jeux avec les mots existe-t-il dans votre pays ?
12. Apprend-on des langues étrangères à l'école dans votre pays ? Lesquelles ? À quel âge ?
13. Quel mot français avez-vous le plus de mal à prononcer ?

Jeux de rôles

10. **Choisissez une situation, préparez un dialogue et jouez-le.**

Situation 1 Vous êtes à une réunion de famille. Vous discutez avec la sœur de votre grand-mère. Elle ne comprend rien car vous utilisez des expressions et du vocabulaire familiers. Jouez la scène.

Situation 2 Votre ami utilise le mot «magichien». Vous ne comprenez pas de quoi il parle et vous lui demandez donc des précisions. Il essaie de vous expliquer.

Vous pouvez imaginer ce dialogue avec un autre mot : une valivre – un chameauto – une frigothèque – un carrectangle – un éléphantastique – un serpentoufle – un hôpitalon – un canapépé.

Sons et lettres

phonétique
p. 108

n° 255 à 257

11. **Écoutez et cochez la case qui correspond au son que vous entendez.**

	[e]	[ɛ]
1.		
2.		
3.		
4.		
5.		

12. **Écoutez et notez sur les lettres «e» les accents graphiques.**

72

Stephanie a decide de partir à l'etranger pour apprendre le suedois. Son frere s'interesse lui aussi aux langues etrangeres et son choix s'est porte sur l'hebreu. Ces jeunes-là ne choisissent decidement pas la facilite! Ils parlent deja tcheque et coreen!

13. **Écoutez et associez les phrases entendues aux phrases ci-dessous.**

73

a) Je ne sais pas.

b) Je ne veux pas.

c) Je ne viens pas.

d) Je ne comprends pas.

e) Je ne crois pas.

Jouer avec la langue

14. **Observez ces documents.**
Votre langue permet-elle de faire ce genre de jeux de mots ?

→ un rébus

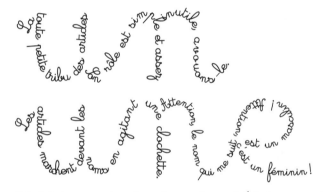

→ un calligramme

→ un acrostiche

Les personnes qui
Aiment apprendre
Ne comptent
Guère leur temps
Une heure, deux heures ou trois ?
Encore plus parfois !

Extrait de *La grammaire est une chanson douce*, de Érik Orsenna, p. 72.

Petite histoire du français

15. **Lisez le texte et dites si l'histoire de votre langue maternelle est comparable.**

Jusqu'au début du XVIIe siècle, on écrivait les actes publics en latin, mais en 1539, sous François Ier, on a imposé de les écrire en français (ordonnance de Villers-Cotterêts). Au XVIIe siècle, sous le règne de Louis XIV, le français était donc une langue officielle, mais c'était surtout la langue de la cour du Roi et une langue littéraire : moins d'un million de Français parlaient cette langue (sur une population totale de 20 millions de personnes) et la majorité utilisait des patois locaux (636 patois différents). À la même époque, on parlait plus le français en Angleterre, aux Pays-Bas et à Moscou qu'en France ! Au XVIIIe siècle, pour unifier la France, les révolutionnaires de 1789 ont décidé de faire du français la langue de la nation. De cette manière, tous les citoyens pouvaient connaître leurs droits. Les patois ont continué d'exister, mais en 1881, lorsque Jules Ferry a déclaré l'école obligatoire, il a interdit d'y parler une autre langue que le français. C'est seulement depuis la loi de juin 1992 que le français est inscrit dans la Constitution comme «la langue de la République».

La francophonie

16. **Lisez le texte et dites quelle est la place de la langue française dans votre pays.**

Maurice Druon, de l'Académie française*, disait que la francophonie réunit «ceux qui ont le français en partage». Qui sont les francophones aujourd'hui? Il y en a 200 millions dans le monde, selon un rapport publié le 20 mars 2008 par l'OIF (Organisation internationale de la francophonie) pour la Journée internationale de la francophonie : 128 millions de personnes parlent couramment le français et 72 millions le parlent «partiellement». Le français, comme l'anglais, est parlé sur tous les continents et c'est la deuxième langue enseignée après l'anglais.

Le français est enseigné aux étrangers un peu partout en France et dans le monde, notamment grâce au réseau des Alliances françaises et des Instituts culturels français à l'étranger : 83 millions de personnes apprennent la langue française. Elle est également diffusée à l'étranger grâce aux médias audiovisuels comme TV5 Monde, RFI (Radio France International) et France 24. Le français est la langue de plusieurs instances internationales (les institutions européennes, les organismes des Nations unies, le Comité international olympique…). Chaque année, plusieurs manifestations ont lieu autour de la langue française : la Journée internationale de la francophonie le 20 mars et la Semaine de la langue française du 16 au 23 mars.

Académie française : institution fondée par Richelieu en 1635 qui veille sur la langue française et définit le bon usage.

17. **Quelques chiffres…**

→ les langues les plus parlées dans le monde

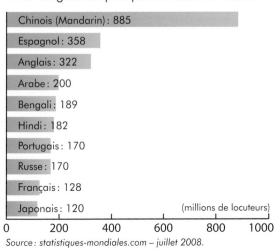

Chinois (Mandarin) : 885	
Espagnol : 358	
Anglais : 322	
Arabe : 200	
Bengali : 189	
Hindi : 182	
Portugais : 170	
Russe : 170	
Français : 128	
Japonais : 120	(millions de locuteurs)

0   200   400   600   800   1000

Source : statistiques-mondiales.com – juillet 2008.

→ les pays où l'on trouve le plus de francophones

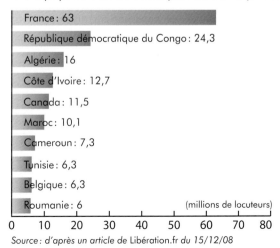

France : 63	
République démocratique du Congo : 24,3	
Algérie : 16	
Côte d'Ivoire : 12,7	
Canada : 11,5	
Maroc : 10,1	
Cameroun : 7,3	
Tunisie : 6,3	
Belgique : 6,3	
Roumanie : 6	(millions de locuteurs)

0   10   20   30   40   50   60   70   80

Source : d'après un article de Libération.fr du 15/12/08

n° 258 à 262

RENCONTRE avec...
VALÉRIE TISSOT,
linguiste

REPÈRES

- Le français usuel comprend environ 32 000 mots.
- 600 millions de personnes ont des connaissances en français.
- L'Académie française (créée en 1635) donne des règles à la langue. Les 40 personnes qui en font partie s'appellent «les immortels». En 1980, Marguerite Yourcenar a été la première femme élue à l'Académie...
- Les lettres envoyées par la Poste ne représentent que 5 % de la communication écrite. Elles ont été remplacées par les mails, les textos...

INTERVIEW

– **Quel a été votre parcours universitaire ?**

– J'ai passé une licence en langues vivantes et je suis partie en Angleterre comme assistante de français. J'ai ensuite passé une maîtrise et un DEA en lexicologie et j'ai commencé un doctorat en Sciences du langage, mais je n'ai pas soutenu ma thèse.

– **Vous étiez «terminologue». En quoi consiste ce métier ?**

– Le terminologue s'occupe du vocabulaire lié à un domaine précis (l'aéronautique, dans mon cas). Il liste les mots qui y sont utilisés, il les harmonise et il peut aussi créer des mots dans ce domaine pour les utilisateurs de ce milieu.

– **Quels sont les avantages et les inconvénients de ce métier ?**

– L'indépendance, mais ce métier n'est pas toujours apprécié à sa juste valeur.

– **Pourquoi avez-vous quitté votre emploi ?**

– Je proposais des projets linguistiques pour l'avenir à mes dirigeants, mais ils n'étaient pas à l'écoute. J'ai souhaité partir pour créer le jeu que j'avais en tête depuis très longtemps.

– **En quoi consiste ce jeu ?**

– «Voyage au cœur des mots», c'est son nom, est une découverte de la langue à travers un jeu de questions à choix multiples.

– **Quels sont vos projets ?**

– Voir mon jeu commercialisé et connaître un aussi beau succès que le Trivial Pursuit® !

– **Avez-vous des regrets ?**

– Après avoir enseigné l'anglais au collège, vécu à Londres, travaillé pour la traduction automatique, expérimenté la lexicographie au Québec et occupé un poste de terminologue chez Airbus, je me tourne maintenant vers une activité 100 % créative et je ne regrette rien.

– **Quel est votre mot préféré ?**

– J'ai une préférence pour les mots courants qui viennent de loin et qu'on ne soupçonne pas ! *Pyjama* est venu de l'Inde par l'intermédiaire des Anglais, *abricot* vient de l'arabe, après avoir été en contact avec l'espagnol, *cacahuète* vient de la langue des Aztèques, *bagne* vient de l'italien car on enfermait les bandits dans les bains publics (*bagnos*) qui servaient donc de prisons... J'admire la créativité des Québécois qui sont capables de *clavarder*, bel exemple d'amalgame entre *clavier* et *bavarder* alors que les Français utilisent le vilain *tchatter* !

TÉMOIGNAGES

Que pensez-vous de l'évolution de la langue ?

Madeleine, 68 ans

Les jeunes ne savent plus écrire ! C'est catastrophique… Évidemment, ils communiquent seulement avec des textos ! Mais ils ne pourront pas trouver de travail.

Jeanne, 35 ans

La langue s'enrichit de nouveaux mots que les jeunes inventent et utilisent. C'est une langue vivante et ça me plaît !

Quentin, 17 ans

J'aimerais bien qu'on abandonne l'orthographe ! C'est trop compliqué. On n'a qu'à écrire les mots comme on les prononce. Ce sera plus facile !

INSOLITE

La langue toujours en mouvement

Une langue meurt dans le monde tous les quinze jours, et plus de la moitié des langues du monde risque de disparaître au XXIe siècle. En effet, certaines langues ne sont parlées que par deux ou trois personnes ! La France, elle, a décidé de protéger sa langue, notamment pour essayer de limiter la progression de l'anglais. Par exemple, la loi Toubon de 1994 impose l'usage du français dans les annonces, les modes d'emploi ou les affiches. Les personnes qui ne respectent pas cette loi doivent payer une amende de 750 euros. Si on utilise une langue étrangère dans ce type de documents, la traduction en français doit absolument apparaître. Autre mesure : depuis 1996, les radios sont obligées de diffuser au moins 40% des chansons en langue française.

Mais cela n'empêche pas la langue française d'évoluer… L'administration a édité un guide sur la féminisation des noms de métiers. On trouve par exemple, pompière (féminin de pompier), chauffeuse (féminin de chauffeur) ou… cafetière (féminin de cafetier). Et chaque année, on supprime des mots dans le dictionnaire (*morguer*, traiter avec arrogance ou *hannetonner*, débarrasser un arbre des hannetons*) et on en ajoute, comme *scotché* (très étonné) ou *kiffer* (aimer).

*insectes

QU'EN PENSEZ-VOUS ?

1. « Il est inutile de traduire les mots anglais comme *e-mail* puisque tout le monde les utilise. » Êtes-vous d'accord ?
2. Pensez-vous que le langage texto soit dangereux pour la langue ?
3. Maîtriser la langue écrite est indispensable pour réussir socialement. Qu'en pensez-vous ?

FAISONS LE POINT

Formez des équipes et répondez aux questions.

1 point

1. Donnez un synonyme en langage familier du mot «argent».
2. Écrivez l'équivalent de «Je te kiffe» en langue standard.
3. Quelle était la langue utilisée en France par l'État avant le français?
4. Le mot «arret» porte un accent circonflexe. Vrai ou faux?
5. Le mot «chiffre» est d'origine anglaise. Vrai ou faux?

2 points

6. Est-ce que «im» est un préfixe ou un suffixe?
7. Citez un nom dérivé du verbe «traduire»?
8. La phrase «Je bois dû vin» est-elle correctement écrite?
9. À l'oral, on peut enlever la deuxième partie de la négation. Vrai ou faux?
10. Citez trois mots d'origine italienne.

3 points

11. Placez l'adverbe «correctement» dans la phrase suivante: «Ils répondent à cette question!»
12. Le mot «Cela» appartient-il à la langue écrite ou orale?
13. Écrivez un synonyme de l'adverbe «merveilleusement».
14. Lisez la phrase suivante à voix haute: «C'est une vraie héroïne de roman!»
15. Formez l'adverbe à partir de l'adjectif «seul».

4 points

16. L'accent aigu peut se placer sur le «a» et le «u». Vrai ou faux?
17. Placez les accents dans la phrase «La celebrite n'apporte rien aux gens celebres.»
18. Lequel de ces deux mots est-il un adverbe: «silencieusement» ou «sourient»?
19. Écrivez un suffixe qui est toujours masculin et un suffixe qui est toujours féminin.
20. Transformez la phrase suivante en langage texto: «Salut. Tu vas bien? Rendez-vous demain devant le cinéma à 20 h. À plus!»

Transcriptions du CD

4. 🎧 plage 2, 📖 p. 8

– Vous êtes allés en boîte hier pour fêter la fin de l'année ?
– Ben non, tu sais bien que j'ai arrêté de sortir depuis que je fais du sport tous les week-ends. Maintenant que j'ai décidé d'escalader les plus hautes montagnes, je dois changer de vie ! Un petit plateau télé devant un film et au lit à 21 h 30 ! Et à propos, toi aussi tu devrais changer de vie et commencer à penser à ta santé.
– Ah oui ?
– Ben oui papa ! Tu devrais faire comme moi… Par exemple, manger des produits bio. C'est difficile ! Ta sœur a une ferme bio quand même !
– Oui, j'y penserai… Au fait ! Tu as de ses nouvelles ?
– Ne m'en parle pas ! Tu ne connais pas la dernière ! Ta sœur a rencontré quelqu'un sur Internet !
– Ah bon ? Sympa ! Sur un site de rencontres ?
– Évidemment, tu trouves ça bien ! Elle a rendez-vous avec quelqu'un d'inconnu, ce soir ! J'essaye de lui dire que c'est une très mauvaise idée mais elle ne m'écoute pas !
– Et elle a raison ! Tu devrais même arrêter de lui dire ce qu'elle doit faire ! Elle est grande, non ? Tu es son neveu, pas son père ! Il faut que tu acceptes de vivre avec ton temps Cédric, mince !
– Oui, c'est ça, bien sûr… C'est dangereux, c'est tout ! Bon, parlons d'autre chose… Tu as encore réussi à m'énerver !

5. 🎧 plage 3 📖 p. 8

– Tu sais Benoît, j'en ai assez de cet exercice de maths…
– Allez courage Sarah ! C'est bientôt la fin des cours et bientôt… les vacances ! Au fait, tu fais quoi pendant les vacances ?
– Ben, je pars chez mes grands-parents. Ils ont une maison en Ardèche.
– Quoi ? Avec tes grands-parents ? Ben, moi, j'aimerais pas partir avec les miens… Ils sont vieux et super stricts, surtout ma grand-mère. À table, on n'a même pas le droit de parler !
– Ben, moi la mienne, c'est tout le contraire ! Elle est très cool, c'est normal, elle a fait Mai 68. On parle beaucoup : elle me pose toujours des questions et elle me raconte sa jeunesse.
– C'est quoi Mai 68 ?
– J'hallucine ! Tu connais pas Mai 68 ? C'était la révolution, tout le monde faisait la grève et était dans la rue.
– Moi, mes grands-parents, ils m'ont jamais parlé de ça. Mais, tu t'ennuies pas avec eux pendant un mois ?
– Oh, pas du tout ! On fait plein de choses : on fait le jardin, on écoute de la musique. Mon grand-père adore le rock. Il joue même de la guitare. Et toi, le tien, il écoute quoi ?
– Le mien ? Il écoute de la musique classique, et faut jamais faire de bruit, sinon il crie.
– Oh, là là… Quel enfer ! Viens passer une semaine avec nous, tu verras c'est génial !

6. 🎧 plage 4, 📖 p. 9

– Alors, Baptiste, ça s'est bien passé l'école aujourd'hui ?
– Oui, j'ai eu un dix sur dix en maths.
– C'est bien ça ! Oh, mais regarde, tu as déchiré ton pantalon ! Ta mère ne va pas être contente. Mais qu'est-ce que vous faites pendant la récré ?
– Ben, on joue aux billes, mais quand il y en a qui trichent, on se bat !
– Les filles aussi jouent aux billes ?
– Non, elles, elles se racontent des secrets à l'oreille et elles parlent des garçons.
– Tu sais, moi, quand j'étais petit, les filles et les garçons n'étaient pas dans la même école : il y avait une école de filles et une école de garçons.
– Ben nous, on est tous ensemble. Même que Louis et Juliette, ils sont amoureux. Pendant la récré, ils se tiennent par la main et ils s'embrassent ! Mais ils ne s'embrassent pas sur la bouche, c'est Louis qui me l'a dit.

7. 🎧 plage 5, 📖 p. 9

Dialogue 1 :
– Bonjour docteur.
– Bonjour Madame. Bonjour petit bonhomme. Qu'est-ce qui vous amène ?
– Mon fils tousse beaucoup et il a le nez qui coule. La nuit, il ne dort pas bien parce qu'il a du mal à respirer.

Dialogue 2 :
– Quitte ton blouson et ton tee-shirt, s'il te plaît, je vais examiner ton bras.
– Aïe, ça fait mal quand je le plie !

– Quand tu es tombé en roller, la douleur était très forte ?
– Non, pas trop, sur le coup, pas trop, mais maintenant, ça fait vraiment mal.

Dialogue 3 :
– Je vous écoute. Qu'est-ce qui ne va pas ?
– Je me sens très fatigué, docteur. Et pourtant, je me couche tôt et je prends des vitamines. Mais ça ne fait rien. Et mes petits-enfants, je ne les supporte plus.
– Bon, je vais vous prescrire un bilan sanguin. Vous avez votre carte Vitale ?

Dialogue 4 :
– Je vais vous faire une ordonnance. Alors, contre les douleurs abdominales, je vous prescris du Spasfon®. Essayez aussi de faire un petit régime : mangez du riz et évitez les crudités. Normalement, l'envie de vomir devrait disparaître avec ce traitement.
– Merci docteur. Je vous dois combien ?
– 22 euros, s'il vous plaît.

8. 🎧 plage 6, 📖 p. 10 → Voir p. 10.

9. 🎧 plage 7, 📖 p. 10

Exemples d'échanges

2. – Avez-vous connu vos arrière-grands-parents ?
– Oui, j'ai connu mes arrière-grands-parents, enfin je me souviens plus de mon arrière-grand-mère que de mon arrière-grand-père. Euh, mon arrière-grand-père a dû disparaître, j'avais moins, moins de dix ans.
5. – Avez-vous eu des conflits avec vos parents à l'adolescence ?
– Oui, bien sûr ! J'ai reçu pas mal de gifles !
6. – Avec quelle personne de votre famille vous entendez-vous le mieux ?
– Avec mon frère, euh, on est vraiment très proches. On a juste un an et demi de, d'écart.

11. 🎧 plage 8, 📖 p. 11 → Voir p. 11.

12. 🎧 plage 9, 📖 p. 11

1. Ils viennent – **2.** Elle met – **3.** Ils offrent – **4.** Il prend – **5.** Ils choisissent.

13. 🎧 plage 10, 📖 p. 11

1. Les miens habitent là. – **2.** Elles retiennent tout. – **3.** Dominique est musicien. – **4.** Mes amis sont italiens. – **5.** Où sont les siennes ? – **6.** Fabienne conduit bien.

Dossier ❷

4. 🎧 plage 11, 📖 p. 20

1. – Caro, tu as pris de la lessive ?
– Ah zut, j'ai oublié !
– Commence à faire la queue, je vais aller en chercher !
2. – Allô ? Pierre ? Tu es où ?
– Ben, à Gyga Mag, je suis en train de faire les courses.
– Ah, ça tombe bien ! Tu penses à aller chercher ma veste au pressing, s'il te plaît ?
– D'accord ! À plus !
3. – Maman, on va bientôt rentrer à la maison ?
– Oui, mon chéri, on y va !
– Je suis fatigué et je veux goûter.
– Normal, ça fait deux heures qu'on fait les magasins !

5. 🎧 plage 12, 📖 p. 20

– Tiens ! Salut Myriam, tu vas bien ? Qu'est ce que tu fais dans le quartier ?
– Ah, Maud ! Ça va, merci, je sors de chez Bioconso.
– Tu fais tes courses chez eux ?
– Oui, évidemment. J'y trouve tout ce qu'il me faut…
– Mais tu n'as pas de magasin plus près de chez toi ?
– Des magasins bio ? Ah non, il n'y en a pas !
– Mais tu n'achètes que du bio ?
– Oui, quasiment. Tu sais, je fais très attention à la qualité des produits…
– Moi aussi mais je vais au supermarché discount du coin, c'est plus rapide et pratique. On y trouve tout et je n'ai jamais eu de problème avec la qualité !
– Ah non, la qualité est moins bonne, je t'assure que c'est beaucoup plus sain de manger bio !

– Dis-moi Alain, tu as vu le nouveau téléphone portable de chez Sony® qui vient de sortir? Tu as vu cette petite merveille?

– Ben tu sais Éric, moi ce genre de gadget, ça m'intéresse pas vraiment.

– Mais ce n'est pas un gadget! C'est une merveille de technologie!

– Ouais, du superflu quoi!

– Pas du tout. Avec ça, tu peux faire beaucoup plus de choses qu'avant. Il y a plus de mémoire, et puis il pèse bien moins lourd!

– Dis, rassure-moi, on peut téléphoner avec au moins!

– Allez arrête de te moquer de moi. Tu n'y connais rien.

– Mais si, au contraire! Je sais que ta «merveille» comme tu l'appelles, est pleine d'électronique donc qu'elle pollue plus que les autres téléphones par exemple.

– Ok d'accord, ton téléphone est meilleur que le mien alors?

– Le mien? Je n'en ai plus. C'est fini!

6. ✎ plage 13, 📖 p. 21

– C'est sympa d'être venu avec moi.

– Oh, je t'en prie, Maurice. Mais ta femme déteste vraiment ta façon de t'habiller?

– Elle a horreur de ce que je porte. Elle vient encore de me dire que je m'habillais comme un ringard!

– Mais c'est fini tout ça! On va te trouver des vêtements tendance! Bon, on commence par une chemise. Regarde celle-là, elle te plaît?

– La chemise à manches longues, là, avec les rayures?

– Oui pourquoi? Il y a un problème?

– Ben, oui… La couleur… et les rayures!

– Ok, qu'est-ce que tu préfères?

– Ben regarde, celle-là, elle est géniale: verte, j'aime bien cette couleur et avec ces petites fleurs blanches, elle est vraiment chouette! Elle est gai! Elle est parfaite! J'adore!

– Quelle idée! Ouais… pour les vacances… peut-être… Mais bon… Ok.

– Et mon pantalon, regarde, celui-là! Il est vraiment joli! Oh, regarde, c'est du jean noir. C'est pas mal.

– Oui, c'est vrai, mais il est peut-être un peu moulant… non? Essaye plutôt ce jean-là. Il est plus large.

– Ah ouais, il est bien! Il me plaît. Oui… tu as raison, j'aime mieux celui-là. Il me faut aussi une ceinture. Oh! Regarde! Celle en croco, verte, assortie à la chemise!

– Euh… Ouais… Bof… Tu ne préfères pas une ceinture noire, ça va avec tout au moins…

– Ah! Non! Cette ceinture en croco est faite pour moi! C'est ça mon nouveau style! Ah! Un dernier truc: je voudrais une belle montre!

– Oui, regarde cette belle montre en acier!

– Ben, je préfère le cuir à l'acier. Je vais prendre celle-là.

– C'est ta femme qui va être contente! Bon, on passe à la caisse?

7. ✎ plage 14, 📖 p. 21

– Mademoiselle Amélie, bonsoir. Nous voici prêts à démarrer notre chronique mode.

– Bonsoir Hervé.

– Mademoiselle Amélie, vous avez pu voir les croquis de la collection printemps/été de chez… Lydestet, cette jeune styliste inconnue du grand public. La collection en quelques mots.

– Franchement, la collection la plus réussie de cette année. Je n'ai rien vu de mieux chez les autres couturiers. Même les plus grands!

– La tenue la plus originale de la collection?

– Elles le sont toutes, vraiment… Mais pour moi, c'est peut-être cette petite jupe, très courte, anthracite à porter avec un petit débardeur de la même couleur sous une chemise blanche, masculine. Comme accessoire, un col en tulle de soie gris et mauve! Une merveille! À porter avec des collants et des escarpins à talons, très féminins.

– La tenue la plus confortable?

– Elles semblent toutes très agréables à porter. Mais la plus confortable est peut-être cette robe courte, ample et très légère, en soie. Rose, une vraie fleur de printemps! Elle se porte avec un petit gilet à manches courtes de la même longueur. On peut la porter avec de petites bottines blanches, en cuir, à talons compensés.

– Et l'ensemble le plus élégant de cette collection?

– Une robe fushia, courte, sur un pantalon en lin, gris très clair. La tenue se porte avec des mitaines qui couvrent les bras. À porter également avec ce fameux col en tulle de soie, fushia et blanc.

– Et la tenue la plus citadine?

– Un petit blouson en coton, crème et une petite tunique beige sur un pantalon ample, gris.

– Et maintenant, la styliste! En une phrase, pas plus, je vous le rappelle!

– Oui, oui. C'est peut-être la styliste la moins connue pour le moment mais à mon avis la plus talentueuse de sa génération!

8. ✎ plage 15, 📖 p. 22 → Voir p. 22.

9. ✎ plage 16, 📖 p. 22

Exemple d'échanges

2. – Où préférez-vous faire vos achats?

– Alors, pour faire mes achats, moi j'aime bien les petites boutiques. Les

grandes surfaces, j'y vais plutôt par nécessité. Mais Internet, non. Non, non, je ne fais pas confiance à Internet.

4. – Quand vous faites vos courses, faites-vous une liste et la respectez-vous?

– J'ai jamais fait de liste et je pense que si j'en faisais une, je pourrais pas la respecter. Non, non, c'est ma mémoire qui, qui me dicte ce que j'ai à acheter!

6. – Combien d'argent êtes-vous prête à dépenser pour acheter un cadeau à une personne que vous appréciez?

– Que j'apprécie ou que j'aime? C'est un peu différent. Que j'apprécie, ça pourrait être jusqu'à, je sais pas, cinquante, cent euros peut-être!

– D'accord!

11. ✎ plage 17, 📖 p. 23 → Voir p. 23.

12. ✎ plage 18, 📖 p. 23 → Voir p. 23.

13. ✎ plage 19, 📖 p. 23

1. C'est cet ordinateur qui est le plus performant. – **2.** Quel est le magasin qui vend le plus de VTT? – **3.** Elle porte le plus beau manteau. – **4.** Je trouve que cette robe est la plus originale. – **5.** Est-ce que c'est Hélène qui dépense le plus?

Dossier ❸

4. ✎ plage 20, 📖 p. 32

– Vous écoutez *Conseils de pro*, il est maintenant 8 h 10 et nous continuons avec notre invité, le pédiatre Gérald Duffin, qui vient d'écrire un livre sur les dangers de l'image pour nos enfants. Alors, on reçoit tout d'abord Michel. Bonjour Michel.

– Bonjour.

– Michel, on écoute votre question.

– Eh bien, j'ai un garçon qui a maintenant 13 ans. Ça fait plusieurs mois qu'il nous a demandé d'avoir un ordinateur dans sa chambre pour pouvoir jouer aux jeux vidéo. C'est vrai qu'on a un peu hésité au début mais comme il n'y a pas de connexion à Internet et que c'était juste pour jouer, on a accepté.

– D'accord, donc maintenant, il a un ordinateur dans sa chambre…

– Oui, c'est ça, et le problème c'est que, depuis 3 ou 4 semaines, on trouve que son comportement est un peu différent. Il n'invite plus beaucoup ses copains à la maison comme avant et chaque fois qu'on veut lui dire quelque chose, il se met tout de suite en colère. Je voudrais bien savoir ce que je dois faire…

[…]

– Vous avez raison Gérald Duffin, c'est finalement la meilleure solution pour éviter ce genre de problème. Alors, nous avons maintenant en ligne, Rachel. Allô Rachel?

– Oui.

– On vous écoute Rachel.

– Eh bien moi, c'est au sujet d'Internet. J'ai une adolescente de 15 ans qui passe son temps libre sur les chats ou sur son blog avec ses copains. Elle me l'a fait voir une fois et bon, c'est vrai que c'est très bien fait et très sympa pour rester en contact avec sa «tribu», comme elle dit!… Il y a des photos, beaucoup de commentaires, des vidéos, c'est vraiment bien!

– Elle met des vidéos en ligne, c'est ça?

– Oui, mais parfois je trouve qu'elle raconte beaucoup trop de choses… quasiment tout ce qu'elle fait et justement, je me demandais s'il y avait des risques ou si elle pouvait mettre n'importe quoi sur son blog. Voilà!

5. ✎ plage 21, 📖 p. 32

1. – Fais voir! Il y a les résultats du match d'hier?

– Quel match?

– Ben, la finale du tournoi de Roland Garros!

– C'est pas la peine de regarder, c'est toujours l'Espagnol qui gagne!

2. – Vous avez lu l'article sur la fermeture de l'usine Peugeot?

– Oh oui! C'est terrible de mettre autant de gens à la porte!

3. – Tu as entendu la nouvelle?

– Non! Qu'est-ce qui se passe?

– Eminem a failli mourir! Il est retombé dans la drogue. Un de ses amis lui avait donné des comprimés bleus, et il ne savait même pas ce que c'était.

4. – Dis papa, c'est quoi Waterloo?

– Enfin Jérémie, qu'est-ce que tu apprends à l'école? Waterloo, c'est la dernière bataille de Napoléon, qu'il a perdue contre les Anglais.

5. – Ils disent qu'il faut manger des carottes pour avoir un beau bronzage.

– Pas de chance! J'aime pas ça.

6. ✎ plage 22, 📖 p. 33

1. C'est sans doute le mariage le plus inattendu de l'année 2007! Pour la première fois dans l'Histoire de France, un chef de l'État français en fonction s'est marié! Le top model Carla Bruni a dit oui à Nicolas Sarkozy lors d'une cérémonie intime à l'Élysée.

2. Rafael Nadal s'est offert son quatrième trophée consécutif à Roland Garros. En finale, il n'a laissé aucune chance au Suisse Roger Federer, balayé 6-1, 6-3, 6-0.

3. Avec un nom très évocateur *Tour 66 - M'arrêter là*, la prochaine tournée de Johnny Hallyday sera la dernière. Ce sera l'occasion de dire adieu à ses fans fidèles qui le suivent depuis plus de 40 ans.

4. Après plus de trois mois de grève, un accord semble possible entre les syndicats et le gouvernement. Le premier ministre recevra donc les syndicats prêts à accepter la proposition sur la revalorisation des salaires.

5. Chômage, récession, appauvrissement, voilà plus de six mois que la crise a frappé en France, et que les Français s'inquiètent.

6. Plus de peur que de mal pour le panda XIXI, disparu après le séisme de lundi dernier en Chine. On l'a retrouvé sain et sauf à trente kilomètres de la réserve où il vivait.

7. 🎧 **plage 23,** 📖 **p. 33**

1. La télé, c'est fait pour regarder le sport et les émissions sur le sport ! Je les regarde toutes ! Sur TF1, France 2, France 3, M6 et j'en passe, et bien sûr, je suis abonné à toutes les chaînes payantes du câble ! Le sport à la télé, c'est ma passion, mais… pas dans la vie ! Je monte mes deux étages à pieds et c'est ma seule activité physique !

2. Je suis très très curieuse, mais je suis aussi très très timide. Alors moi, ce que j'aime à la télé, c'est pouvoir rentrer chez les gens, écouter leurs conversations, regarder ce qu'ils font sans être vue, comme une petite souris. J'adore ce genre d'émission, mais bien sûr, je ne dis à personne que je les regarde. J'ai honte !

3. Je regarde la télé essentiellement pour me changer les idées, pour échapper un peu à mon quotidien. Je regarde toutes les émissions qui font voyager. Je n'ai pas les moyens de partir très loin en vacances alors la télé me permet de visiter tous les pays du monde ! J'adore aussi les séries, surtout les séries américaines. Mais je regarde, tous les soirs, ma série à 20 h 10. Je ne la rate jamais ! Si je ne peux pas la voir, je l'enregistre.

4. Je regarde surtout la télé pour les magazines d'actualité. Quand le journaliste est bon, c'est vraiment intéressant. Moi j'aime bien écouter les gens débattre et avoir plusieurs points de vue sur un sujet. C'est une bonne source d'information à mon avis.

8. 🎧 **plage 24,** 📖 **p. 34** → Voir p. 34.

9. 🎧 **plage 25,** 📖 **p. 34**

Exemples d'échanges

1. – Quels médias utilisez-vous pour vous informer ?
– Alors, pour m'informer, j'utilise plusieurs médias, hein. Ça dépend du moment, ça dépend de là où je me trouve. Alors parfois, c'est le journal télévisé, euh parfois c'est la presse écrite, donc les journaux. J'aime bien le week-end avoir un journal et puis le lire tranquillement en buvant un café. Et bien sûr Internet, régulièrement.

4. – À quoi vous sert votre ordinateur ? À travailler ? À jouer ? À surfer ?
– Alors l'ordinateur principalement à travailler, mais c'est vrai que je fais des recherches sur mon ordinateur, alors des recherches pratiques, par exemple des numéros de téléphone, des adresses et puis des recherches pour moi, sur des sujets qui m'intéressent.

5. – Quelle rubrique d'un journal vous intéresse le plus ?
– Dans le journal, je lis toutes les rubriques. Euh, celle qui m'intéresse le moins, en revanche : le sport parce que je m'intéresse pas vraiment au sport et c'est tout, c'est…
– Très bien.

11. 🎧 **plage 26,** 📖 **p. 35** → Voir p. 35.

12. 🎧 **plage 27,** 📖 **p. 35** → Voir p. 35.

13. 🎧 **plage 28,** 📖 **p. 35**

1. interview – **2.** différé – **3.** à la une – **4.** mensuel – **5.** faits divers – **6.** virtuel.

Dossier ❹

4. 🎧 **plage 29,** 📖 **p. 44**

– Oh, c'est toi Gilles ? Qu'est-ce que tu fais dans le métro à 7 heures du matin ?
– Ah, salut Max ! Ben, tu vois : comme tout le monde, je vais au bureau !
– Mais, je croyais que tu habitais dans le Morvan, au milieu des vaches et des moutons !
– Mais non, c'est fini cette aventure. Je suis revenu travailler et habiter à Paris.
– Ah bon ! Pourquoi ?
– Quand j'ai commencé à travailler chez moi, sur mon ordinateur, c'était très agréable. Je pouvais travailler à mon rythme, quand je voulais : très tard le soir par exemple. Fini les problèmes de transport et le stress du réveil ! Mais rapidement, je me suis senti seul, je n'avais plus de contact avec mes collègues. Je m'ennuyais, je ne voyais plus personne.
– Et tes copains, ils ne venaient pas te voir le week-end ?

– Non, ils préféraient rester à Paris pour sortir. Là-bas, dans le Morvan, il n'y avait rien à faire, pas de ciné, pas de restaurant. C'était mort, même le week-end ! Les gens ne sortaient pas, il n'y avait personne dans les rues après 20 heures ! Il n'y avait que le marché, le dimanche où je faisais mes courses et je discutais un peu avec les gens. C'était l'enfer !
– Oui, d'accord, mais au moins tu étais au calme.
– Ah c'est sûr ! Mais c'était trop calme ! La nuit, je n'arrivais pas à dormir : le silence me faisait peur. Non, vraiment, le bruit, la foule, la pollution, ça me manquait. Tu peux pas savoir comme on est bien à Paris !

5. 🎧 **plage 30,** 📖 **p. 44**

– Oh, oh ! Il y a quelqu'un ?
– Oui, j'arrive ! Qu'est-ce qui vous amène ?
– On est tombé en panne tout près d'ici et mon portable ne passe pas. Est-ce que je peux appeler de chez vous ?
– Oui, pas de problème. Le téléphone est juste à l'entrée sur la gauche.
– Merci. J'en ai pour deux minutes.
[…]
– Hé, je peux essayer votre tracteur, Monsieur ?
– Ben non, je préfère pas…
On entend une vache.
– C'est la vache qui fait tout ce bruit ?
– Non mais je rêve ! Vous n'avez jamais entendu de vache ? Où est-ce que vous habitez ?
– Ben, à Marseille, y en a pas !
– Oui mais vous avez la télé quand même ?
– Ouais, mais c'est pas pareil ! Votre vache, elle fait plus de bruit !
– Monsieur, vous travaillez tout seul ici ?
– Non, j'ai un apprenti qui m'aide à m'occuper de l'exploitation et il y a aussi ma femme et mes enfants qui me donnent un coup de main avec les chevaux, quand ils peuvent.
– Vous faites travailler vos enfants ?
– Je ne les oblige pas à travailler. Ils adorent les chevaux donc ils s'en occupent souvent ; ce n'est pas vraiment du travail quand on aime ce que l'on fait.
– Moi, je voudrais pas faire ça !
– Pourquoi ?
– Les animaux, ça pue et c'est bête !
– C'est pas pire que les voitures en ville. Et, c'est bien souvent moins bête que certaines personnes.
– Qu'est-ce qu'elle fait votre femme ici ?
– Elle s'occupe surtout de la fabrication de fromage et du gîte.

6. 🎧 **plage 31,** 📖 **p. 45**

Alex : – Ça va, Sonia ? T'as passé de bonnes vacances ?
Sonia : – Ah oui, super ! Je suis partie chez des copains qui habitent un tout petit village en Lozère. C'était génial !
Alex : – Ah bon ? Tu y es restée longtemps ?
Sonia : – Une semaine, mais c'était trop court. J'y retournerais bien.
Alex : – Pourquoi ? T'as fait quoi ?
Sonia : – Ben, plein de choses. On s'est promené et on a ramassé des champignons dans la forêt. Mais il ne faisait vraiment pas chaud. Du coup, comme il n'y avait pas de chauffage dans la maison, on a coupé du bois pour allumer la cheminée, c'était super ! Et toi, tes vacances ?
Alex : – Ben, moi aussi je me suis mise au vert ! Mon frère et sa copine ont loué un chalet en montagne et j'ai passé quelques jours avec eux.
Sonia : – Sympa ! Et t'as fait des randonnées ?
Alex : – Non, il faisait trop froid et il a beaucoup plu. On est resté dans le chalet, on a fait la cuisine, on a goûté aux produits régionaux. Hum ! La fondue savoyarde ! Je me suis bien reposée, ça fait vraiment du bien d'être loin de la ville. Pas de téléphone portable, pas de connexion Internet, pas de télé. Le vrai retour à la nature.
Sonia : – Ah, ça c'est sûr, c'est vraiment agréable de respirer autre chose que les gaz d'échappement des voitures, de prendre l'air. Je voulais pas rentrer à Paris !
Alex : – Moi non plus, j'en ai marre d'y habiter !

7. 🎧 **plage 32,** 📖 **p. 45**

Et maintenant, Cécile Mathieu pour *Les Français sont ainsi !*
Savez-vous ce qu'on fait en France, en juillet quand on est Parisien et qu'on veut aller sur la Côte d'Azur ? Eh bien, on prend l'autoroute ! D'abord l'A6 puis l'A7 ! En effet, cette célèbre autoroute, appelée «autoroute du soleil » à partir de Lyon, permet aux habitants de la capitale de rejoindre la Méditerranée, en plus ou moins 8 heures de trajet. Alors, en général, on quitte Paris de nuit pour ne pas avoir trop chaud et on prend bien sûr la direction de Lyon. En chemin, on peut admirer les lumières de certaines grandes villes comme celles d'Auxerre par exemple. La nuit est déjà bien avancée quand on passe près de Vienne où souvent les embouteillages commencent car il y a un péage. On écoute alors la radio et les conseils de Bison futé pour savoir combien de temps il faudra patienter. Puis, avec le lever du jour, on s'arrête pour le petit déjeuner et la pause pipi sur l'aire de repos de la Porte du Soleil, près de Valence. On continue ensuite le voyage jusqu'au péage de Lançon de Provence. Après, il y a

plusieurs destinations possibles, Aix-en-Provence, Marseille, Cannes ou Nice. Voilà donc, normalement, le trajet le plus rapide pour avoir le plus vite possible les pieds dans l'eau ! Je dis bien « normalement » car il y a quelques Français qui, fatigués par les bouchons, préfèrent prendre un autre itinéraire. Rodolphe Salin en a interrogé un, écoutons-le.

– Et vous monsieur, quel est votre itinéraire pour aller sur la Côte d'Azur ? Vous prenez l'autoroute ?

– Ah non, nous, on n'aime pas prendre l'autoroute. C'est horrible, tous ces gens qui sont encore pressés alors qu'ils sont déjà en vacances ! Non, franchement, on prend notre temps. On part tranquillement le matin quand on est prêt et on prend la nationale 7. On passe par Montargis puis on s'arrête généralement déjeuner dans un petit restaurant conseillé par le guide Michelin, vers Nevers. Si on en a envie, on s'arrête visiter une ville ou un monument.

– Par exemple ?

– Eh bien, la dernière fois, on s'est arrêté à Roanne. C'est vrai aussi que dans la famille on est gourmand, alors, on s'arrête souvent à Montélimar pour acheter des nougats. Et après, eh bien on descend tranquillement le long du Rhône jusqu'à la mer. On met plus de temps, c'est vrai, mais au moins on n'est pas stressé ! Cette année, on va même essayer de s'arrêter pour la nuit à Avignon, au moment du festival. On m'a dit qu'il y avait un spectacle à ne pas manquer !

8. 🎧 **plage 33,** 📖 **p. 46** → Voir p. 46.

9. 🎧 **plage 34,** 📖 **p. 46**

Exemple d'échanges

6. – Qu'est-ce que vous détestez en ville ?

– Euh, ce que je déteste en ville ? Les gens, je pense. Trop de monde et... Oui, trop de monde sur les trottoirs, les magasins, faire la queue. Bah, non, j'aime pas.

10. – Selon vous, comment est le voisin idéal ? Et le pire voisin ?

– Ben le voisin idéal, c'est celui qui est discret, qui ne fait pas trop de bruit, mais qui nous invite à la maison, avec qui on peut peut-être se promener ou discuter, boire un coup.

– Et le pire ?

– Le pire ? Ah ben, le pire, c'est celui qui fait un barbecue tous les samedis, à midi, en été et qui fait beaucoup de bruit, très désagréable.

11. 🎧 **plage 35,** 📖 **p. 47**

1. Les citadins rêvent de quitter la ville. – **2.** Il s'ennuyait à la campagne. – **3.** Tu respirais le bon air pur. – **4.** Je me reposais dans le jardin. – **5.** Elle s'installe à Paris ?

12. 🎧 **plage 36,** 📖 **p. 47**

1. clé – **2.** sel – **3.** thé – **4.** fée – **5.** dansait – **6.** fait.

13. 🎧 **plage 37,** 📖 **p. 47** → Voir p. 47.

Dossier ⑤

4. 🎧 **plage 38,** 📖 **p. 56**

– Luc, vous cuisinez pour vos amis ?

– Ah oui, évidemment et c'est une véritable fête ! J'essaye à chaque fois de les surprendre. J'invente de nouveaux plats. J'aime beaucoup leur faire de la nouvelle cuisine. En plus, j'adore la décoration de table alors ça m'amuse de trouver une idée originale, de chercher la vaisselle et les décorations appropriées. Quand ils viennent, tout doit être vraiment parfait : aussi bien la cuisine que la table !

– Marc, vous cuisinez pour vos amis ?

– Pas du tout, et je n'ai pas envie de m'embêter avec ça ! Je préfère commander des pizzas ou des kebabs. C'est plus rapide et il n'y a pas de vaisselle ! On appelle quand mes copains sont arrivés, chacun prend ce qu'il veut et hop, trente minutes après, on peut se régaler tous ensemble.

– Anna, vous cuisinez pour vos amis ?

– Bien sûr, j'aime bien les recevoir. Mais, je ne me tracasse pas trop. Ce qui me plaît avant tout, c'est d'être à table avec eux, de passer un bon moment, alors, en général, je choisis une recette classique et un bon vin parce qu'ils sont très gourmands. Après ça pose tout sur la table : comme ça, chacun se sert et c'est très convivial !

– Lise, vous cuisinez pour vos amis ?

– Oui, bien sûr, ça m'arrive, on ne va pas toujours au restaurant. Mais, quand ils viennent à la maison, ils savent ce qu'ils vont manger ! Ou plutôt ils sont sûrs de ce qu'ils ne mangeront pas : de la viande. Je suis végétarienne alors, ils sont prévenus. Chez moi, il n'y a que des céréales, des légumes et des fruits. Ça les change mais en général ils repartent ravis... au moins, ils découvrent une autre manière de les préparer.

5. 🎧 **plage 39,** 📖 **p. 56**

– Bonjour à tous ! Nous nous retrouvons aujourd'hui pour notre émission *Dans ma bibliothèque* chez le danseur Franck Valla. Alors, Franck, ma première question : que lisez-vous en ce moment ?

– Un ami m'a conseillé la lecture du polar de [bruit], qui se passe à Marseille. Depuis que je l'ai commencé, je ne peux pas le lâcher. Je lis en ce moment le deuxième de la trilogie. C'est une enquête policière, mais c'est aussi plus que ça... La sensibilité de l'auteur est présente à chaque page, et moi, j'ai grandi à Marseille, alors tout me parle : les lieux, les personnages, l'ambiance, l'accent...

– Je vois que vous avez aussi toute une partie de votre bibliothèque consacrée à l'art, et pas seulement à la danse.

– C'est vrai, j'aime aussi beaucoup la peinture. J'aime bien avoir des beaux livres, mes amis m'en offrent souvent. Par exemple, celui-là [bruit], m'a été offert par une amie après un voyage en Belgique. C'est un catalogue des tableaux les plus importants du peintre, ainsi qu'une biographie.

– Vous lisez de la poésie ?

– Pas beaucoup, mais vous pouvez voir que j'ai un recueil de poèmes tout écorné, car il me suit partout. Il est bien en évidence sur l'étagère parce qu'il ne se passe pas une journée sans que je l'ouvre. Je l'emmène avec moi quand j'ai un spectacle en province. C'est [bruit]. Une vie ne suffirait pas à aller au fond de ces poèmes et j'y trouve de l'inspiration pour mon travail.

– Je vois également tous les romans de [bruit].

– Ah oui, c'est un auteur que j'adore. Son univers est proche du mien et j'ai l'impression de me retrouver en famille quand je lis ses romans.

– Tous vos livres sont dans cette pièce ?

– Oh non, il y en a partout dans la maison ! Suivez-moi, je vais vous montrer ceux que j'ai dans le salon.

6. 🎧 **plage 40,** 📖 **p. 57**

– À toi de jouer Manu ! Question catégorie *Parlons de moi*, tu es prêt ?

– Prêt !

– « Où aimerais-tu vivre tes derniers jours ? »

– Alors, sans hésiter, dans un bon restau ! Vous me connaissez, j'adore bien manger, donc ce serait dans un restaurant gastronomique avec mes meilleurs amis !

– D'accord ! C'est noté ! Allez, Vincent, lance le dé ! 5 ! Question catégorie *À cœur ouvert* : « Quel est ton plus beau souvenir d'enfance ? »

– Mon plus beau souvenir d'enfance... C'est sûrement quand j'allais à la pêche avec mon grand-père. C'est lui qui m'a appris à pêcher. C'est pour ça que, maintenant, j'y vais tous les week-ends.

– Bon, on sait tout sur toi maintenant ! À qui est-ce ? Malika ? Question catégorie *Parlons de moi* : « Si tu pouvais t'offrir régulièrement un luxe, qu'est-ce que ce serait ? »

– Waouh ! Laissez-moi réfléchir... Je pense que ce serait de m'offrir, toutes les semaines, une séance de massage et de relaxation parce que je suis toujours stressée !

– C'est vrai, c'est pas mal comme idée... Et toi, Fanny ?

– Vas-y, pose-moi une question !

– Alors, catégorie *Brise-glace* : « Quand as-tu pleuré la dernière fois ? »

– Ben, vous savez tous que j'adore lire. Hier soir, j'ai pleuré à cause du livre que je lis. C'est triste mais il est excellent !

– Bon, eh bien, achète-toi un livre plus amusant !

– Allez, Manu, réveille-toi et réponds à cette question...

7. 🎧 **plage 41,** 📖 **p. 57**

(une actrice qui remet le prix)

Et le prix de la meilleure actrice de l'année revient à Yolande Moreau pour son interprétation dans *Séraphine* ! [applaudissements]

(le maître de cérémonie)

Thierry François, le chef décorateur de *Séraphine* n'est malheureusement pas parmi nous ce soir. Peut-être que quelqu'un de l'équipe du film peut monter sur scène pour venir chercher son prix ?

(Interview d'un critique de cinéma à la sortie de la cérémonie)

– Chers amis, je me trouve à la sortie de la cérémonie de remise des Césars 2009 et je suis avec Thomas Lumières, notre critique de cinéma... Alors Thomas, que vous inspire ce palmarès ?

– De très bonnes choses. Je trouve que les films récompensés le méritaient vraiment. Le prix pour la meilleure adaptation et dialogues attribués à François Begaudeau et Laurent Cantet pour *Entre les murs*, c'était normal, les dialogues sont vraiment formidables et très réels. C'est pareil pour Madeline Fontaine, la costumière de *Séraphine*, elle a fait un travail exceptionnel et vraiment retrouvé l'esprit des robes du début du siècle.

– Vous êtes donc plutôt d'accord avec le jury ?

– Oui, assez. Par exemple, j'étais sûr que *Séraphine* allait être choisi comme meilleur film de l'année parce que cette histoire très simple qui évoque le destin extraordinaire de cette femme est très touchante.

– Vous avez des regrets ?

– Oui, un seul. C'est vrai que j'ai beaucoup aimé la musique d'un autre film en compétition *L'ennemi intime* et je trouve que c'est un peu facile de récompenser encore l'équipe de *Séraphine* parce qu'on s'y attendait un peu. Voilà c'est tout.

8. 🎧 **plage 42,** 📖 **p. 58** → Voir p. 58.

9. 🎧 plage 43, 📖 p. 58

Exemple d'échange
1. – Quels petits plaisirs vous offrez-vous quand vous avez un peu de temps libre de façon inattendue ?
– Alors, euh, je suis une personne curieuse, donc ça dépend du temps mais s'il fait beau je vais me promener dans la rue, je regarde les gens, les chiens, les inscriptions par terre. Certaines sont très amusantes. Et puis, euh, si le temps est mauvais je vais explorer les librairies et je peux passer trois heures à feuilleter des livres.
3. – Très bien. Bien manger fait-il, pour vous, partie des plaisirs de la vie ?
– Euh, qui peut répondre non ? Oui, bien sûr !
5. – Quel est le spectacle qui vous a le plus marquée ?
– Le spectacle qui m'a le plus marquée de toute ma vie ?
– Oui.
– De toute ma vie… Oh là là ! Y en a beaucoup mais je… j'ai une idée là. C'est pendant un voyage, en bateau, sur la mer, la nuit, il y avait toutes ces étoiles dans un ciel immense. Et dans la mer, il y avait des vagues qui étaient lumineuses aussi à cause du plancton, les petites bêtes qui vivent dans la mer, donc c'était extraordinaire.
– D'accord.

11. 🎧 plage 44, 📖 p. 59 → Voir p. 59.

12. 🎧 plage 45, 📖 p. 59 → Voir p. 59.

13. 🎧 plage 46, 📖 p. 59

Exemple : attente
1. Plein – **2.** Grain – **3.** Rang – **4.** Vin – **5.** Roman – **6.** Temps – **7.** Dans.

Dossier ⑥

4. 🎧 plage 47, 📖 p. 68

1. – Christian, tu peux finir la vaisselle, s'il te plaît ? Je suis en retard, je dois partir au travail.
– Oui, je la ferai plus tard, je suis occupé !
– Ah, non ! Fais-la tout de suite, sinon tu vas oublier !
– Mais pas maintenant, je te dis…
– Je n'en peux plus ! Ça va bientôt faire dix ans que ça dure !
2. – Julie ?
– Oui ?
– Samedi soir, je sors avec mes copains. On se retrouve chez Yann pour regarder le match et après on ira boire un verre.
– Encore ? Mais tu y es déjà allé jeudi, et puis Sabine nous a invités à manger.
– Eh ben, raison de plus ! Je ne supporte pas son mari, j'ai rien à lui dire.
– Ça, c'est sûr, il aime autre chose que le foot, lui ! Eh ben, vas-y chez ton copain, j'irai toute seule chez Sabine moi !
3. – Irène, où as-tu rangé mon album de timbres ?
– À sa place, mon chéri ! Cherche-le bien : depuis plus de quarante ans, il est rangé dans le deuxième tiroir de la commode du salon.
– Ah, merci. Qu'est-ce que je ferais sans toi ?
4. – C'est nouveau, cette robe ? Ne me dis rien… Tu l'as achetée chez Renzo ?
– Oui, ce matin. Elle te plaît ?
– Fais voir, tourne-toi ! Ça fait plus de vingt ans qu'on est marié et je ne me lasse pas de te regarder…

5. 🎧 plage 48, 📖 p. 68

Nous allons à présent retrouver Brigitte, que vous pouvez appeler dès maintenant si vous avez des problèmes de cœur et des questions à lui poser. Je vous rappelle également, que vous pouvez retrouver *Le mémo* de Brigitte, chaque semaine, dans le magazine *Elles*.
[Jingle]
– Bonjour Brigitte, je m'appelle Caroline, et mon petit ami vient de me quitter… J'ai rien compris… Il m'a envoyé un texto pour me dire que c'était fini entre nous.
– Bonjour Caroline. Euh… Un texto vous dites ? Ce n'est pas très élégant…
– Ben, c'est court surtout ! Je voudrais le rappeler et discuter avec lui pour…
– Ah non ! Ne faites surtout pas ça ! Si vous voulez discuter, appelez une amie.
– Non, je n'ai pas envie de parler à mes amis. Je suis tellement triste. Et puis… j'ai un peu honte d'être comme ça.
– Mais non, pourquoi ? Vous avez le droit de pleurer, même en public !
– Non, je ne ferai jamais ça. Je préfère rester seule.
– Non, Caroline. Vous ne devez pas rester chez vous, seule, les volets fermés. Vous devez sortir avec vos amis et rencontrer de nouvelles personnes. Vous pouvez à nouveau profiter de votre célibat : aller en boîte, manger avec des copains…
– Ça ne m'intéresse pas.
– Mais si ! Vous devez essayer. Vous devez commencer une nouvelle vie et oublier.
– Oublier ces neuf jours de bonheur avec Boris, ce n'est pas possible !

6. 🎧 plage 49, 📖 p. 69

– Pourquoi tu ris toute seule ? Tu fais quoi ?
– Je suis sur le site « Amis d'avant ».
– C'est quoi ?
– C'est un site où tu t'inscris pour retrouver des copains que tu as perdus de vue depuis l'école primaire ou la fac… Tu peux savoir ce qu'ils font maintenant, où ils vivent, s'ils sont mariés… et surtout, surtout ! Tu peux voir leur tête !
– Ah oui ! C'est sympa ! Je peux essayer ? Comment on fait ?
– Il faut s'inscrire. Je t'inscris si tu veux. Alors, tu cherches qui ?
– Euh, Rémy, Rémy Martin. C'était mon meilleur ami au lycée. On s'entendait vraiment très bien. Il avait un humour incroyable ! Qu'est-ce qu'on a rigolé ! Et puis… il était aussi très patient et très compréhensif. J'étais très attachée à lui, on partageait beaucoup de choses.
– Ah ? Il était musicien, comme toi ?
– Oui, il faisait du piano aussi. On avait un tas de points communs. On était complices quoi ! Et puis, comme on était internes au lycée, on ne voyait notre famille que le week-end.
– Ah bon ! Toi ? Tu étais interne ?
– Oui, je ne te l'ai jamais dit ? C'était très difficile pour moi, tu t'en doutes ! Il me soutenait beaucoup.
– Mais tu ne m'as jamais parlé de lui. Tu ne le vois plus ? Qu'est-ce qui s'est passé ?
– Rien de spécial. La vie… Après le bac, on est parti dans des villes différentes. Il est allé à Marseille, pour faire ses études de médecine et moi, je suis revenue à Strasbourg. On a fréquenté de nouvelles personnes, on s'est fait d'autres amis… Et puis surtout… il a rencontré une fille.
– Ah ! Ah !
– Ouais… Alors, petit à petit, bien sûr, il m'a appelée moins souvent… Ça m'a fait de la peine et on s'est fâché… Pour moi, c'était comme une trahison… J'avais l'impression qu'il me laissait tomber…
– Et vous êtes fâchés depuis ce moment ?
– Oui, on ne s'est jamais réconcilié… Alors, si je le trouve sur ton site, ce sera peut-être l'occasion de reprendre contact.
– Je vois… Alors… Je tape « Rémy Martin »… Voilà… Ah ! Il y en a deux…

7. 🎧 plage 50, 📖 p. 69

Carla : – On téléphone à Solène pour savoir comment elle va ? Depuis le temps qu'on ne l'a pas vue !
Noémie : – Bonne idée, je l'appelle. Allô Solène, c'est Noémie à l'appareil, comment vas-tu ?
Solène : – Bonjour Noémie. Je vais mieux, merci. Je pense que je serai de retour d'ici quelques jours. Et toi, ça va ?
Noémie : – Oui, ça va merci.
Carla : – Passe-lui le bonjour de ma part.
Noémie : – Je suis avec Carla. Elle me dit de te passer le bonjour.
Solène : – Remercie-la de ma part.
Noémie : – Elle me dit de te remercier.
Solène : – Quoi de neuf au bureau ?
Noémie : – Oh, il y a du nouveau. Tu sais, Bertrand, le comptable… Eh bien il a eu une promotion !
Solène : – Ce n'est pas possible ! Pas lui !
Noémie : – Et si !
Carla : – Dis-lui aussi qu'il est avec Mélanie.
Noémie : – Carla me dit de te dire aussi qu'il est avec Mélanie, la fille du service com.
Solène : – Ah bon ? Je ne les voyais pas ensemble ces deux-là.
Carla : – Est-ce qu'elle est au courant pour Véronique ?
Noémie : – Carla te demande si tu es au courant pour Véro ?
Solène : – Véro, l'assistante du directeur ? Non, qu'est-ce qu'elle a ?
Noémie : – Eh bien, figure-toi qu'elle s'est sacrément disputée avec le patron et qu'elle est partie en claquant la porte hier matin !
Solène : – Elle a démissionné ?
Noémie : – On ne sait pas, personne ne l'a revue depuis.
Solène : – Eh bien, il y a des changements. Bon je vous laisse. On reparle de tout ça quand je rentre !
Noémie : – Salut Solène. Repose-toi bien. À bientôt. Bisous.

8. 🎧 plage 51, 📖 p. 70 → Voir p. 70.

9. 🎧 plage 52, 📖 p. 70

Exemple d'échanges
7. – Croyez-vous au coup de foudre et expliquez-moi pourquoi ?
– J'y crois et je n'y crois pas. J'y crois parce que je pense que ça arrive mais je n'y crois pas parce que quand on éprouve le coup de foudre, on ne peut pas imaginer que l'autre ressent pour nous la même chose.
11. – À votre avis, est-ce qu'un collègue de travail peut devenir un ami ?
– Oui, oui, oui, d'ailleurs j'ai des amis qui sont des collègues de travail. Il suffit qu'on ne parle pas trop de travail.
2. – Pouvez-vous décrire une situation où vous avez déjà été jaloux ?
– Beaucoup de situations où j'ai déjà été jaloux. Ben, par exemple, nous étions au restaurant avec ma compagne et elle regardait tout le temps un homme qui était assis à la table à côté… Oui, j'étais jaloux.

11. 🎧 plage 53, 📖 p. 71 → Voir p. 71.

12. 🎧 plage 54, 📖 p. 71

1. Toutes ses amies sont jalouses d'elle. – **2.** Il n'arrive jamais à lui dire toute la vérité. – **3.** J'ai invité tous mes collègues de bureau pour mon pot de départ. – **4.** Elle revoit régulièrement tous ses ex-petits amis pour savoir ce qu'ils deviennent. – **5.** Tout le monde pense qu'ils vont se marier très bientôt. – **6.** Il a présenté sa fiancée à toute la famille réunie pour l'occasion.

13. 🎧 plage 55, 📖 p. 71 → Voir p. 71.

Dossier ❼

4. 🎧 plage 56, 📖 p. 80

– Mesdames, Messieurs, bienvenue au musée des inventions inattendues. Toutes les inventions que vous allez découvrir ici sont toutes liées au hasard. Je vous prie de ne rien toucher et de respecter le sens de la visite. Alors, dans cette salle, vous pouvez admirer le premier stéthoscope qui date de 1819. Son inventeur, René Laennec, était médecin. Un jour, sa jeune voisine était malade, elle avait une forte fièvre et toussait beaucoup. Comme il ne voulait pas poser directement son oreille sur sa poitrine pour écouter sa respiration, il a eu une idée : il a fait un rouleau avec du papier et il l'a posé sur elle. Il a été très surpris de bien entendre son cœur qui battait à l'autre extrémité du rouleau.
– Ah ! C'est incroyable !
– Eh oui, Monsieur ! Approchez-vous, s'il vous plaît ! Vous avez, dans cette vitrine, une photo qui date de 1838 environ. C'est Monsieur Daguerre qui est à l'origine de cette invention. Au début, ses photos étaient très pâles et l'on ne voyait plus rien au bout de quelques heures car les couleurs disparaissaient.
– Ah bon ?
– Eh oui ! Un matin, il a rangé ses photos dans un placard et les a oubliées pendant plusieurs jours. Quand il les a retrouvées, il a constaté avec surprise un changement : il y avait toujours des couleurs et elles étaient plus intenses. Ses photos étaient magnifiques ! Alors, il a cherché à comprendre pourquoi. Il a remarqué des taches de mercure sur l'étagère et il a très vite compris que c'était le mercure qui rendait la couleur des photos plus sombre.
– Quel génie !
– Suivez-moi ! C'est par ici ! Nous arrivons maintenant dans la salle des inventions gastronomiques. Vous connaissez tous le Sauternes ?
– Bien sûr ! C'est un vin très sucré.
– Oui. Eh bien, c'est au XVIᵉ que l'on a inventé ce vin délicieux. En 1550, l'été et le printemps étaient très chauds. Il ne pleuvait pas. Les raisins ont donc mûri plus tôt. Puis, il a beaucoup plu et les vignerons n'ont pas ramassé le raisin. Quelques jours plus tard, il y avait de la pourriture sur le raisin. Malgré ça, les vignerons ont fait leur vin avec. Et à leur grande surprise, il était délicieux !
– Ça alors ! Je ne le savais pas !
– Allez, nous continuons notre visite…

5. 🎧 plage 57, 📖 p. 80

1. Je cherche une chambre pour cette nuit. Je voudrais quelque chose de confortable et de pas trop cher. Et pas loin du centre-ville si possible.
2. Je suis déjà venue plusieurs fois à Toulouse, mais cette fois j'aimerais découvrir la ville d'une façon originale. Qu'est-ce que vous me conseillez ?
3. Est-ce que vous pouvez m'indiquer où se trouve le quartier historique de la ville ? Je viens d'arriver à Toulouse et j'ai peur de me perdre.
4. Est-ce que vous savez s'il y a des transports en commun pour aller à la Cité de l'Hers et jusqu'à quelle heure ils fonctionnent le soir ?
5. Pourriez-vous me dire si la collection de sculptures romanes est à nouveau accessible ou si c'est encore en travaux ?
6. Je voudrais savoir si on peut se baigner quelque part en hiver à Toulouse ? Je suppose que la Garonne est trop froide…

6. 🎧 plage 58, 📖 p. 81

– Nous allons parler aujourd'hui de l'organisation politique de la France. Une première question ?
– Moi. Je voudrais savoir qui peut voter en France ?
– On peut voter quand on est majeur, c'est-à-dire à 18 ans et quand on est de nationalité française.
– Pour combien de temps le président de la République est-il élu ?
– Pour répondre à cette deuxième question, je dirais que le chef de l'État est élu pour 5 ans par tous les citoyens, qu'il est le chef des armées et qu'il dirige la politique extérieure. Il travaille au palais de l'Élysée, à Paris, et s'il veut, il peut aussi y habiter.
– Est-ce que le président décide de tout, tout seul ?
– Cette troisième question est intéressante, et la réponse est non. Après son élection, le président nomme un premier ministre pour l'aider. Le premier ministre travaille à l'hôtel Matignon, et il est lui-même aidé par différents ministres : c'est le Gouvernement. Chaque ministre s'occupe d'un

domaine : la santé, le travail, l'éducation… Chaque mercredi, le président réunit le Conseil des ministres à l'Élysée pour discuter des grandes questions qui concernent le pays. Une autre question ?
– Mais… Qui fait les lois en France ?
– Les lois sont faites par le Parlement, qui est composé de deux chambres. La première est l'Assemblée nationale, où siègent les députés. Ils sont 577 et sont élus pour 5 ans.
– Et je connais l'autre, c'est le Sénat ! Mais où se réunit-il ?
– Le Sénat siège au palais du Luxembourg. Les sénateurs sont élus pour neuf ans. Attention, une loi ne peut être votée que si les deux chambres sont d'accord. Une sixième et dernière question, s'il vous plaît.
– Il y a plusieurs partis politiques en France ?
– Bien sûr, la France est une démocratie ! Il y a des partis de droite, du centre et de gauche.

7. 🎧 plage 59, 📖 p. 81

– Stéphanie Faivre, j'écoute.
– Bonjour Stéphanie, c'est Lisa Blunt. Vous vous souvenez de moi ?
– Oh ! Lisa ! Bien entendu ! Comment ça va ?
– Très bien. Je vous appelle parce que ma société pense à installer une usine en France et on cherche la région idéale pour nous. J'aimerais des informations sur votre région.
– Bien sûr ! Tu sais, tout d'abord, que c'est une région industrielle ? Économiquement, elle est très dynamique. À Belfort, il y a Alstom, tu sais ?
– Alstom ?
– Mais oui, Alstom, qui a produit le TGV !
– Oh ! Bien sûr ! C'est vrai que la France a le train le plus rapide du monde !
– Oui ! Et nous en sommes assez fiers ! Et puis, dans le coin, il y a aussi l'usine Peugeot-Citroën, à Sochaux. En plus, tu sais qu'on partage notre frontière avec la Suisse et ça, c'est un grand avantage commercial.
– C'est vrai.
– Oui, c'est évident.
– Et sur un plan plus personnel, il y a des choses à faire ?
– Évidemment ! S'installer à Besançon, parce que c'est une très jolie ville. Il y a beaucoup d'activités culturelles. Et puis, il y a la nature… il y a beaucoup de forêts dans la région. Tu peux très souvent faire des balades et donc faire disparaître ton stress.
– Mais il fait froid chez vous, non ?
– Mais non, je t'assure ! Enfin si… l'hiver, un peu ! Mais c'est un climat montagnard, voilà. Ça permet d'aller skier ! Tu peux faire du ski de fond ou marcher en raquettes. C'est sympa ! Et après, tu peux manger un bon repas à base de fromage ! Un Mont d'or au four avec des pommes de terre, c'est excellent, crois-moi !
– Je vous fais confiance !
– Oui, vraiment, vous devez vous installer ici ! Je suis certaine que ton patron va adorer.

8. 🎧 plage 60, 📖 p. 82 → Voir p. 82.

9. 🎧 plage 61, 📖 p. 82

Exemple d'échanges
3. – Quels sont les symboles qui représentent votre pays ?
– Alors la France est représentée par la tour Eiffel pour beaucoup de personnes dans le monde entier et, pour les Français, évidemment le chant national, la Marseillaise. Il y a aussi le drapeau français, bleu blanc rouge, et peut-être aussi pour l'ensemble des Français qui connaissent ça : le petit Français avec le béret, la baguette sous le bras et le camembert.
7. – Quelle région avez-vous ou aimeriez-vous visiter en France et pourquoi ?
– J'aimerais beaucoup visiter le Périgord à cause des grottes qui contiennent les dessins des hommes préhistoriques et puis parce que lorsqu'on y va l'été, il y fait très frais.
10. – Que faites-vous pour vous informer avant de visiter un pays ?
– J'achète un guide à la librairie. Je vais aussi voir sur Internet les sites de l'office du tourisme du pays afin d'avoir des informations concrètes. Voilà.

11. 🎧 plage 62, 📖 p. 83

1. J'ai été en colère. – **2.** J'ai pensé à toi. – **3.** Tu te baignais ? – **4.** Je mangeais. – **5.** Je jouais aux dés.

12. 🎧 plage 63, 📖 p. 83

1. musée – **2.** lunettes – **3.** allumer – **4.** cahiers – **5.** affaires – **6.** honnête.

16. 🎧 plage 64, 📖 p. 83 → Voir p. 83.

Dossier ❽

4. 🎧 plage 65, 📖 p. 92

– Monique Barrier, bonjour et merci de nous recevoir chez vous pour notre émission *Notre langue et nous*.
– Bonjour. Merci à vous de m'avoir invitée.

– Comme tout le monde le sait, vous êtes un auteur à succès. Quelle est votre ambiance de travail ? Vous travaillez ici, dans ce bureau ?

– Oui, tout à fait. J'adore cette pièce qui donne sur la terrasse et ce très vieil arbre qui nous offre son ombre en plein été.

– Vous écrivez le matin ?

– Ah non, je suis de la nuit. Je profite de ces nombreuses heures de calme pour écrire. Le matin, ce n'est absolument pas imaginable… Je déteste le moment où il faut se réveiller et je peux vous dire qu'il n'y a pas de réveil dans cette maison !

– Je vois aussi que vous avez beaucoup de bandes dessinées dans votre bibliothèque. C'est assez rare pour un auteur de roman, non ?

– Je ne sais pas si mes confrères aiment aussi le neuvième art mais il est vrai que j'adore me plonger dans les univers que proposent les dessinateurs… C'est très enrichissant et cela nourrit mon imaginaire.

– Avez-vous toujours voulu écrire ?

– Oui, depuis toute petite, mes proches m'ont toujours encouragée à le faire. L'amour et la confiance qu'ils m'ont donnés m'ont permis de devenir écrivain…

– C'est la passion qui vous motive ?

– Certainement oui, et c'est même un de mes mots préférés…

5. 🎧 plage 66, 📖 p. 92

1. – Tu veux pas m'accompagner à l'anniversaire de Christophe lundi ?
– Euh, non, désolé, je ne peux pas. Je suis pris.
– Ah bon ? Qu'est-ce que tu fais ?
– Je vois Clara.
– Ah ! Ah ! Clara !
– Oui, Clara.
– Et vous faites quoi, avec Clara ?
– On va au cinéma, c'est tout.
– Ah ! Et vous mangez ensemble avant d'y aller ?
– Non, on va juste un rendez-vous devant le ciné à 8 h et après on rentre chacun chez soi, si tu veux tout savoir ! Qu'est-ce que t'es curieuse ! Tu m'énerves !

2. – Pfff ! On a trop de boulot en ce moment ! J'en ai marre !
– Tu devrais te changer les idées. Tu sais quoi ? Appelle Marie. Va prendre un verre avec elle.
– Marie… Tu crois vraiment qu'elle a envie de me voir ? Elle ne m'a pas appelé depuis des lustres.
– Ça veut rien dire. Elle a peut-être beaucoup de boulot, comme toi, et elle a pas eu le temps de t'appeler.

3. – Oh, mais c'est pas possible !
– Qu'est-ce qui se passe ?
– Pourquoi elle n'imprime pas cette machine ?
– Je ne sais pas. Il n'y a jamais de problème avec cette imprimante.
– Ben aujourd'hui il y en a un ! Ça fait vingt minutes que j'essaye d'imprimer ce dossier. Et qu'est-ce que je vais faire ? C'est la catastrophe ! Je devais partir dans vingt minutes ! J'ai un rendez-vous très important !
– Ah, ça ne se sera pas possible ! Il faut absolument que vous trouviez une solution avant de quitter le bureau ! Ce dossier doit à tout prix partir par courrier avant 17 h.

4. – Dis Quentin, tu sais que c'est l'anniversaire de Clément la semaine prochaine ?
– Déjà ? On est le 19 la semaine prochaine ?
– Ben ouais. T'as une idée de cadeau pour lui ? Moi, franchement, je sèche.
– Un cadeau pour Clément ? Ouais, avec lui, c'est pas facile. Il a tout !
– Ouais…
– Qu'est-ce qu'on pourrait lui prendre ?… Ah ! Je sais ! Il ne comprend jamais rien quand on lui envoie des textos ! On va lui acheter un dictionnaire du langage SMS !
– Ouais, c'est une bonne idée. Tu envoies un texto à Carole pour lui dire.

6. 🎧 plage 67, 📖 p. 93

Toc toc toc…
– Oui, entrez !
– Salut Gisèle, je ne te dérange pas ?
– Non, pas du tout, Pascale. Entre. Tu tombes bien, j'ai besoin de toi.
– Ah bon ? Pourquoi ?
– Eh bien, j'voudrais écrire un petit mot pour remercier la dame, tu sais, celle qui m'a aidée à écrire ma lettre de motivation.
– C'est sympa. Comment je peux t'aider ?
– Tu peux corriger mes fautes, s'il te plaît, parce que je voudrais lui montrer que je me suis améliorée. T'es bien meilleure que moi pour ça !
– Oui, pas de problème. Fais-moi voir ce que tu as déjà écrit.
– Voilà.
– Alors, regardons ça… Alors, là, tu vois, ce n'est pas nécessaire de mettre « C'est madame Mercier qui… », c'est un peu trop oral. Écris directement « Mme Mercier m'a donné votre adresse mail »…
– D'accord.
– Et là, regarde, tu as oublié l'accord du participe passé. Tu dois rajouter un « e ». Ensuite… Oh là là Gisèle, fais attention, tu ne peux pas écrire

comme tu parles, ce n'est pas correct ! Regarde là, tu dois écrire « il y a » et puis rajoute aussi le « ne » de la négation ici.
– Ok.
– Tu dois aussi écrire « je » complètement, même si c'est vrai qu'on le prononce pas toujours ! Alors… après, « C'était super gentil à vous de faire ça », c'est plutôt familier, tu pourrais écrire « Vous êtes très gentille d'avoir fait cela pour moi », c'est mieux.
– Oui tu as raison. Il faut « deux l » à « gentille » ?
– Ben oui, bien sûr, c'est une femme. « Parce que » s'écrit en deux mots, voilà comme ça. Et puis change aussi « boulot », c'est trop familier… Voilà, je crois que c'est mieux comme ça maintenant.
– Oui, moi aussi, j'te remercie, j'vais pouvoir lui envoyer.
– Il n'y a pas de quoi… Mais essaie de faire un effort à l'écrit, c'est important pour ton travail.
– Promis, je ferai attention. Merci beaucoup.

7. 🎧 plage 68, 📖 p. 93

La présentatrice : – Chers auditeurs, bonjour, et bienvenue dans notre célèbre émission *Les 1 000 mots*. Aujourd'hui, nous allons chercher des mots d'origine étrangère, empruntés aux autres langues. J'accueille deux candidats, Anna et Denis. Bonjour ! Vous êtes prêts ? On peut commencer ?
Denis : – Prêt !
La présentatrice : – Alors, on commence avec un mot d'origine arabe. Il s'agit d'un objet qui sert à éclairer…
Anna : – Une lampe !
La présentatrice : – Non !… formé d'une mèche enveloppée de cire.
Denis : – Une bougie.
La présentatrice : – Bravo ! C'est une bougie. Ensuite, ce mot provient de l'italien et désigne une inscription ou un dessin tracé sur un mur.
Anna : – Euh ! Un graffiti ?
La présentatrice : – Parfait Anna ! Ce troisième mot nous vient directement d'Allemagne. Il désigne une couleur qui peut être ciel ou marine.
Denis : – Bleu !
La présentatrice : – Exactement. Bien joué, Denis ! Enfin notre dernier mot a une origine anglaise. C'est un mot qui représente des tranches de pain entre lesquelles on met du fromage, de la salade, du…
Anna et Denis : – Un sandwich !!
La présentatrice : – Félicitations !

8. 🎧 plage 69, 📖 p. 94 → Voir p. 94.

9. 🎧 plage 70, 📖 p. 94

Exemple d'échanges

3. – Quelle(s) langue(s) aimeriez-vous parler ?
– Euh l'italien, je pense. J'aime beaucoup la musique de cette langue et puis j'aimerais mieux parler les langues que je parle déjà.

5. – Est-ce qu'il y a beaucoup de différences entre l'oral et l'écrit dans votre langue ?
– Oui, il y en a vraiment beaucoup. En français, on peut écrire, euh, un même son avec différentes orthographes et puis, même une même orthographe se prononcer de différentes façons. C'est un problème pour les Français et pour les étrangers.

8. – Y a-t-il des langues régionales dans votre pays ?
– Oui. Il y a juste une langue officielle en France mais il y a, euh, quatre ou cinq langues régionales et puis dans chaque village, les vieilles personnes parlent euh des variations très régionales, très locales même.

11. 🎧 plage 71, 📖 p. 95

1. abréviation – 2. règles – 3. poème – 4. écriture – 5. réfléchir – 6. progrès.

12. 🎧 plage 72, 📖 p. 95

Stéphanie a décidé de partir à l'étranger pour apprendre le suédois. Son frère s'intéresse lui aussi aux langues étrangères et son choix s'est porté sur l'hébreu. Ces jeunes-là ne choisissent décidément pas la facilité ! Ils parlent déjà tchèque et coréen !

13. 🎧 plage 73, 📖 p. 95

1. J'crois pas – 2. J'comprends pas – 3. J'veux pas – 4. J'viens pas – 5. Chépa.

Précis de phonétique

1. L'accent tonique

En français, l'accent tonique se place en général sur la dernière syllabe d'un mot ou d'un groupe de mots. C'est un accent de durée : la syllabe accentuée est plus longue.

Exemples : Mer**ci** / Merci beau**coup** / Merci beau**coup**, Mon**sieur**.

2. L'intonation

On distingue en général trois intonations :

– L'intonation déclarative ou assertive qui descend en fin de phrase.

Exemple : Tu parles français. ↘

– L'intonation interrogative qui monte en fin de phrase.

Exemple : Tu parles français ? ↗

– L'intonation impérative qui, après un écart important avec la syllabe qui précède, descend fortement sur la dernière syllabe.

Exemple : Sortez ! (Sor-tez ↘)

On peut également signaler la présence de plusieurs types d'intonation expressive (la colère, la surprise, le doute, etc.) qui se manifestent dans le ton de la voix et qui permettent de percevoir quels sont les sentiments de la personne qui parle.

3. Les accents à l'écrit

Un accent graphique est un signe que l'on met au-dessus d'une voyelle pour modifier la prononciation ou le sens.

Les différents accents sont :

– l'accent aigu (´) : il est toujours sur la lettre **e** et donne la prononciation [e] ;

– l'accent grave (`) : on le trouve aussi sur la lettre **e** pour donner la prononciation [ɛ]. Quand il est placé sur le **a** ou le **u**, il indique un changement de sens, mais la prononciation ne change pas ;

Exemples : • Il **a** deux frères. (verbe avoir, troisième personne du singulier)

         Il va **à** Paris. (préposition)

    • **Où** habitez-vous ? (indique le lieu)

        On va voir ce film-ci **ou** celui-là ? (pour le choix)

– l'accent circonflexe (^) : on peut le trouver sur toutes les voyelles (sauf y). Il remplace généralement une lettre disparue *(Exemple : hôpital qui s'écrivait avant hospital)*, ou il sert à distinguer des homophones *(Exemple : sur/sûr)*. Il modifie seulement la prononciation du e qui devient alors [ɛ] ;
– le tréma (¨) : il peut se placer sur les voyelles a, e, u et i. Il sert à indiquer que la voyelle qui les précède immédiatement doit être prononcée séparément.

    Exemple : Je ne connais pas encore ce pays mais [mɛ] j'irai un jour.

                Les poules mangent du maïs [mais].

Les accents sur la lettre e sont indispensables pour indiquer la prononciation des mots.
Quelques pistes pour vous aider :
– En règle générale, le e est accentué seulement s'il termine la syllabe.

    Exemple : éléphant (é-lé-phant) / maternité (ma-ter-ni-té) /célébrité (cé-lé-bri-té)
– Le e en position finale dans la syllabe porte un accent grave quand la syllabe suivante contient un e muet.

    Exemple : le père (pè-re) / dernière (der-niè-re)

4. Les homophones

Certains mots français se prononcent de la même façon, mais s'écrivent différemment. Ils ont un sens différent.

Exemples : le son [vɛ̃] peut s'écrire : vingt, vin, vain, vint.

             le son [ɛ] peut être soit le verbe être (tu es, il est), soit le verbe avoir (j'ai).

             le son [o] peut s'écrire : eau, au, aux, oh…

5. La différence entre le français écrit et le français oral

Beaucoup de Français ne parlent pas comme ils écrivent. Pour aller plus vite dans la communication de tous les jours, ils utilisent différents procédés. Voilà quelques exemples.
– Omission du **ne** de la négation :

    Il ne vient pas. → Il vient pas.
– Élision de certains pronoms sujets :

    Je crois. → J'crois.

    Tu es. → T'es.
– Remplacement du **nous** par le **on** :

    Nous parlons anglais. → On parle anglais.
– **Cela** devient **ça** :

    Cela s'explique facilement. → Ça s'explique facilement.
– **Il est** devient **c'est** :

    Il est 16 h. → C'est 16 h.
– **Il y a** devient **y a** :

    Il y a du monde. → Y a du monde.
– Utilisation des abréviations :

    Nous sommes au cinéma. → On est au ciné.
– Utilisation de mots familiers :

    Je n'ai plus d'argent. → J'ai plus de fric.
– Ajout de certains mots permettant une phase de réflexion : Euh… ben…

Précis grammatical

À propos du nom...

1. Les pronoms possessifs

– Ils servent à remplacer le déterminant et le substantif pour éviter la répétition.

Ex. : C'est ta voiture ? → Oui, c'est la mienne.

– Comme l'adjectif possessif, ils s'accordent avec le nom et varient selon les possesseurs.

	Singulier		Pluriel	
	Masculin	Féminin	Masculin	Féminin
(Je)	le mien	la mienne	les miens	les miennes
(Tu)	le tien	la tienne	les tiens	les tiennes
(Il/Elle)	le sien	la sienne	les siens	les siennes
(Nous)	le nôtre	la nôtre	les nôtres	
(Vous)	le vôtre	la vôtre	les vôtres	
(Ils/Elles)	le leur	la leur	les leurs	

2. Le pronom « en »

– Le pronom en est utilisé pour remplacer les quantités indéterminées.

Ex. : Vous buvez du vin ? → Oui j'en bois. / Non, je n'en bois pas.

Vous avez des amis français ? → Oui, j'en ai. / Non, je n'en ai pas.

– Si la quantité est précisée, on la répète en fin de phrase, sauf à la forme négative.

Ex. : Vous avez un stylo ? → Oui j'en ai un. / Non, je n'en ai pas.

Vous avez acheté plusieurs vêtements ? → Oui, j'en ai acheté plusieurs.

→ Non, je n'en ai pas acheté.

Attention ! Il faut faire la liaison avec en. *Ex.* : Pierre en achète. Les gens en ont.

3. La place de l'adjectif

– En général, l'adjectif (forme, couleur, nationalité, dérivé du participe passé…) est après le nom.

Ex. : une veste rouge – un étudiant colombien – un magasin ouvert – un meuble original.

– Certains adjectifs courts se placent avant le nom. C'est le cas notamment de grand, petit, nouveau, beau, joli, bon, mauvais, jeune, vieux, vrai, faux. *Ex.* : un joli fauteuil – une belle voiture.

– Les chiffres et les nombres se placent toujours avant le nom.

Ex. : les trois enfants – les quatre chaises – le troisième étage.

Attention ! Beau, vieux et nouveau deviennent bel, vieil et nouvel devant une voyelle ou un h muet.

Ex. : un bel objet – un nouvel appartement.

4. Les pronoms compléments directs (COD) et indirects (COI)

a. Le pronom complément direct

Il reprend un nom de personne ou de chose après un verbe sans préposition.

Ex. : Il connaît la directrice. → Il la connaît. – Il lit le journal. → Il le lit.

Il me connaît   Il te connaît   Il le/la connaît

Il nous connaît   Il vous connaît   Il les connaît

Attention ! le et la → l' devant une voyelle (ex. : Je l'adore.)

b. Le pronom complément indirect

Il reprend un nom de personne après un verbe avec la préposition à. Ce sont des verbes de communication comme : parler à, téléphoner à, demander à, écrire à, répondre à, dire à, offrir à, donner à...

Ex. : Il parle à la directrice. → Il lui parle.

Il me parle	Il te parle	Il lui parle
Il nous parle	Il vous parle	Il leur parle

c. Place du pronom

– À la forme négative : Il ne lui parle pas. / Il ne la connaît pas.
– Au futur proche : Il va lui téléphoner. / Il ne va pas la rencontrer.
– Au passé récent : Je viens de lui écrire. / Il ne vient pas de la voir.
– Au présent progressif : Elle est en train de leur dire bonjour. / Je ne suis pas en train de le lire.
– Au passé composé : Il lui a écrit. / Son courrier ? Il ne l'a pas reçu.
– Avec deux verbes : Je dois lui écrire. / Je dois le rencontrer.

5. Le pronom « y ».

– Le pronom y sert à remplacer un complément de lieu quand on ne veut pas le répéter.
   Ex. : Pierre va à Paris. Il y va en train.
– Il se place avant le verbe conjugué.
– Quand il y a deux verbes, il se place avant le verbe à l'infinitif.
   Ex. : Ils vont partir en Angleterre. Ils vont y partir en septembre.
– Avec la négation, le y se place après le ne de la forme négative.
   Ex. : Il n'est pas à Paris. Il n'y est pas.

6. Les trois valeurs du pronom « on »

C'est un pronom personnel (troisième personne du singulier). Il peut représenter :
   – « Les gens » : On mange pour vivre.
   – « Nous » (plutôt oral) : On a compris.
   – « Quelqu'un » : On a frappé.

7. Les pronoms démonstratifs

a. Les pronoms simples

	Singulier	Pluriel
Masculin	celui	ceux
Féminin	celle	celles
Neutre	ce	

– Le pronom démonstratif remplace un **adjectif démonstratif + nom**.
   Ex. : Tu veux **cette guitare** ? **Celle** qui est à droite ?
– On utilise le pronom « ce » comme sujet devant le verbe être.
   Ex. : La musique, c'est merveilleux !
– On utilise le pronom démonstratif dans la construction suivante :
   C'est + pronom démonstratif + pronom relatif.
   Ex. : Ce chanteur, c'est **celui que** je préfère !

b. Les pronoms composés

	Singulier	Pluriel
Masculin	celui-ci/celui-là	ceux-ci/ceux-là
Féminin	celle-ci/celle-là	celles-ci/celles-là
Neutre	ceci/cela/ça	

– Le pronom composé sert à désigner une chose plus ou moins éloignée de la personne qui parle. Ci exprime la proximité et là, l'éloignement.

Ex. : Tu veux celle-ci [près de moi] ou celle-là [plus loin] ?

8. Tout

– Quand tout est un adjectif, il s'accorde avec le nom qui suit.

Ex. : Tout le monde / Toute la famille / Tous mes amis / Toutes mes copines.

– Tout peut également être pronom sujet, et dans ce cas, il est neutre et invariable. *Ex.* : Tout est dit !

9. L'impératif et les pronoms compléments

À l'impératif, les pronoms compléments changent de forme et de place.

a. À l'impératif affirmatif

Le pronom se place après le verbe.

Ex. : Fais-le ! Regarde-la ! Demande-lui ! Regarde-moi ! Tais-toi !

Attention ! Devant y et en on met un s à la deuxième personne du singulier pour des raisons phonétiques et la liaison est obligatoire. *Ex.* : Vas-y ! Manges-en !

b. À l'impératif négatif

Les pronoms se placent devant le verbe. Ils ne changent pas de forme.

Ex. : N'y allez pas ! Ne le fais pas ! Ne la regarde pas ! N'en mange pas ! Ne lui demande pas !

Attention ! Moi et toi deviennent me et te à la forme négative.

Ex. : Ne me regarde pas ! Ne te perds pas !

10. Les pronoms relatifs

– Le pronom relatif permet de relier plusieurs phrases en évitant de répéter un nom déjà cité.

– Qui remplace une personne ou une chose sujet du verbe.

Attention ! Le pronom relatif qui se place juste après le mot qu'il remplace.

Ex. :

Nous visitons un parc. Ce parc date du XVIe siècle. → Nous visitons un parc qui date du XVIe siècle.

Le parc est magnifique. Ce parc date du XVIe siècle. → Le parc qui date du XVIe siècle est magnifique.

– Que remplace une personne ou une chose complément d'objet direct du verbe.

Ex. : Le château est magnifique. Nous visitons ce château.

→ Le château que nous visitons est magnifique.

Remarque : on fait l'élision avec que mais pas avec qui.

Ex. : Le musée qu'il a découvert dans cette ville est très intéressant.

– Où remplace un complément de lieu.

Ex. : Le parc est magnifique. Nous allons dans ce parc. → Le parc où nous allons est magnifique.

11. La formation des mots

– En français, il y a des mots simples et des mots dérivés. *Ex.* : dent → dentiste, dentaire, dentifrice…

– L'ensemble des mots dérivés forme la «famille» du mot dent. Il est parfois utile de connaître des mots de la même famille pour savoir les orthographier et retrouver la lettre finale muette.

Ex. : chant → chanteur, chanter,…

– À partir d'un mot, on peut en fabriquer d'autres, il suffit de rajouter des préfixes ou des suffixes.

a. Le suffixe

C'est/ce sont l'/les élément(s) placé(s) après le radical pour former un dérivé. Il est directement rattaché au radical pour former un autre mot (il est parfois possible que quelques lettres du radical disparaissent au moment de cette transformation). *Ex.* : jeune, jeunesse, rajeunir.

Rappel : il existe des suffixes pour indiquer la nationalité (–ien/–ais/–ain), la profession (–er/–eur/ –iste), le nom des magasins (–erie).

Quelques suffixes

Pour l'action, le résultat de l'action	Pour exprimer la qualité, la propriété
–age (le partage) –ment (le règlement) → Ces mots sont généralement masculins. –tion (une réclamation) –ure (la culture) → Ces mots sont féminins.	–esse (la tristesse) –ie (la jalousie) –té (la beauté) –ance (la descendance) –itude (la solitude) –isme (le réalisme)

b. Le préfixe

C'est/ce sont l'/les élément(s) placé(s) avant le radical pour former un nouveau mot. Tous les préfixes n'ont pas un sens précis, mais certains permettent de modifier le sens du radical. Connaître le sens de ces préfixes peut aider à comprendre le sens d'un mot.

Quelques préfixes à connaître

Pour indiquer le contraire	in–/im– (incorrect/impossible) ill–/irr– (illisible/irresponsable) mal– (malheureux) dé–/dés– (défaire/désunir)
Pour indiquer qu'une action s'est passée avant	pré– (prévenir/prédire)
Pour indiquer que l'action se fait à nouveau	re– (redire)

À propos du verbe...

12. Le présent

– Les terminaisons orthographiques du présent de l'indicatif sont généralement les suivantes :

Je	-e		-s		-x	Nous	-ons
Tu	-es	ou	-s	ou	-x	Vous	-ez
Il/elle/on	-e		-t/-d		-t	Ils/elles	-ent

Attention ! Il y a bien sûr des verbes irréguliers.

– Traditionnellement, on distingue plusieurs types de verbes en fonction de leur terminaison à l'infinitif :
– les verbes en -er (parler, habiter,…), ou verbes du 1er groupe,
– les verbes en -ir (finir,…), ou verbes du 2e groupe,
– les verbes en -ir, -oir, -re (partir, voir, faire,…), ou verbes du 3e groupe.
– On peut aussi classer les verbes en fonction du nombre de « bases » (ou radical).

a. Les verbes à une base

Le radical est le même à toutes les personnes, et il suffit de changer les terminaisons.
Ex. : je **parle** / nous **parlons**

b. Les verbes à deux bases

Le radical change en fonction des personnes, et il y a deux bases.
– Type I : une base au singulier : **je, tu, il/elle/on** et une autre base au pluriel : **nous, vous, ils/elles**.
Ex. : je **finis** / ils **finissent**
– Type II : une base pour **je, tu, il/elle/on, ils** et une autre base pour **nous, vous**.
Ex. : j'**achète** / nous **achetons**

c. Les verbes à trois bases

Le radical change en fonction des personnes, et il y a trois bases.
Ex. : je **prends** / nous **prenons** / ils **prennent**

d. Les verbes irréguliers

Certains verbes (être, avoir, faire, aller…) sont très fréquents, mais irréguliers.

Attention ! Certains verbes en « -er » ont des modifications orthographiques dans le radical qui changent la prononciation.

	acheter [aʃte]	préférer [pʁefeʁe]	appeler [aple]	jeter [ʒəte]	essayer [eseje]
je/tu/il/elle/on/ils/elles = prononciation différente de l'infinitif	j'achète [aʃɛt]	je préfère [pʁefɛʁ]	j'appelle [apɛl]	je jette [ʒɛt]	j'essaie [esɛ]
nous/vous = prononciation comme l'infinitif	nous achetons [aʃtɔ̃]	nous préférons [pʁefeʁɔ̃]	nous appelons [aplɔ̃]	nous jetons [ʒətɔ̃]	nous essayons [esejɔ̃]
modifications	e → è	é → è	l → ll	t → tt	y → i
verbes similaires	lever, promener, peser, emmener,…	protéger, répéter, compléter, espérer,…	rappeler, épeler, s'appeler,…	rejeter, feuilleter,…	payer, balayer,…

13. Les prépositions et les verbes

a. Les verbes qui se construisent avec la préposition à ou de sont suivis d'un verbe à l'infinitif.

verbe + de	continuer de – arrêter de – accepter de – refuser de – essayer de – rêver de – être obligé de – décider de
verbe + à	continuer à – commencer à – réussir à – apprendre à – inviter à – aider à

Attention ! Rêver de + infinitif ou rêver de + nom → Je rêve de soleil pour mes vacances !

b. On retrouve fréquemment la préposition de avec les constructions suivies d'adjectifs ou de noms affectifs, comme : avoir peur de – être triste de – avoir envie de – être ravi(e) de – être heureux/-euse de – être content(e) de.

14. Les verbes pronominaux réciproques

Ils indiquent qu'il y a un lien de réciprocité entre les sujets. Leur emploi est toujours pluriel.

Ex. : Michel et Patricia se téléphonent souvent. → Michel téléphone à Patricia, et Patricia téléphone à Michel.
Nous nous connaissons bien. → Je te connais et tu me connais.

Attention ! À la forme négative, la négation se place de chaque côté de la forme verbale.

Ex. : Mes enfants ne se battent jamais. / Nous ne nous serrons pas la main.

15. Le présent progressif / le passé récent / le futur proche

– Le présent progressif se forme avec le verbe être en train de au présent suivi d'un verbe à l'infinitif. Il sert à montrer l'action en cours de déroulement. Il veut dire « être occupé à ».

Ex. : Je ne peux pas sortir, je suis en train de réviser. / Il est en train de manger une glace.

– Le passé récent sert à rapporter un événement très proche du présent. Il se forme avec le verbe venir de au présent suivi d'un verbe à l'infinitif.

Ex. : Monsieur Giradi n'est pas là, il vient de sortir. /Tu as fait tes exercices ? Oui, je viens de les finir.

– Le futur proche indique qu'un événement immédiat va se produire. Il se forme avec le verbe aller au présent suivi d'un verbe à l'infinitif.

Ex. : Prends ton parapluie, il va pleuvoir. /Attention, tu vas te faire mal.

16. Le futur simple

a. Formation

– Pour former le futur simple, on ajoute à l'infinitif les terminaisons -ai, -as, -a, -ons, -ez, -ont.

– Ces terminaisons correspondent aux formes du verbe avoir au présent de l'indicatif.

Arriver : j'arriverai, tu arriveras, il/elle/on arrivera, nous arriverons, vous arriverez, ils/elles arriveront.

Réussir : je réussirai, tu réussiras, il/elle/on réussira, nous réussirons, vous réussirez, ils/elles réussiront.

Mettre : je mettrai, tu mettras, il/elle/on mettra, nous mettrons, vous mettrez, ils/elles mettront.

Attention ! Pour les verbes en -tre/-dre, on enlève le « e » final.

b. Les verbes irréguliers

Être : je serai, tu seras, il/elle/on sera…

Faire : je ferai, tu feras, il/elle/on fera…

Venir : je viendrai, tu viendras, il/elle/on viendra…

Voir : je verrai, tu verras, il/elle/on verra…

Envoyer : j'enverrai, tu enverras, il/elle enverra…

Falloir : il faudra

Avoir : j'aurai, tu auras, il/elle/on aura…

Aller : j'irai, tu iras, il/elle/on ira…

Pouvoir : je pourrai, tu pourras, il/elle/on pourra…

Recevoir : je recevrai, tu recevras, il/elle/on recevra…

Devoir : je devrai, tu devras, il/elle/on devra…

Pleuvoir : il pleuvra

c. Différence futur simple/futur proche

– Le futur proche indique en général qu'un événement immédiat va avoir lieu ou qu'un changement va se produire.

Ex. : Mes amis vont arriver. / Daphné va avoir un bébé.

– Le futur simple est utilisé pour exprimer des projets, une programmation, une prévision.

Ex. : L'année prochaine, je partirai au Canada. / Après mes études, j'aurai un bébé.

– On utilise en général le futur proche à l'oral (plus familier) et le futur simple à l'écrit (plus formel) avec les expressions de temps suivantes : « tout à l'heure », « bientôt », « demain », « dans trois jours », « le mois prochain ».

d. L'hypothèse sur le futur

Pour exprimer l'hypothèse sur le futur, on utilise la structure :

Si + verbe au présent de l'indicatif, verbe au futur.

Ex. : S'il fait beau ce week-end, nous irons pique-niquer (si + il/ils → s'il/s'ils).

Si vous êtes sages, je vous achèterai des bonbons.

17. L'imparfait

a. Formation

– La base du nous du présent + -ais, -ais, -ait, -ions, -iez, -aient.

Ex. : Nous faisons → je faisais, tu faisais, il/elle/on faisait, nous faisions, vous faisiez, ils/elles faisaient.

– Seule exception : être → ét- : j'étais, tu étais, il/elle/on était, nous étions, vous étiez, ils/elles étaient.

Attention ! Manger : nous mangeons → je mangeais.

Commencer : nous commençons → je commençais.

– Pour les verbes impersonnels, la base utilisée est celle de l'infinitif (pleuvoir → il pleuvait/falloir → il fallait).

b. Emploi

L'imparfait est un temps du passé qui est généralement utilisé :

– pour exprimer une habitude dans le passé : Quand j'étais au collège, je mangeais à la cantine.

– pour faire une description : Mon lycée était près de chez moi.

18. Le passé composé

a. Avoir ou être ?

– Le passé composé est composé de deux éléments :

   Avoir ou être au présent + participe passé du verbe

– On utilise avoir avec la majorité des verbes. On utilise être avec :

   – 14 verbes :

      aller et venir / arriver et partir / monter et descendre / naître et mourir / entrer et sortir / tomber / rester / passer / retourner

   – les verbes dérivés : devenir, revenir, remonter, rentrer…

   – les verbes pronominaux (se + verbe).

   Ex. : Il est venu chez moi hier. / Nous sommes rentrés à 18 heures. / Il s'est couché tôt.

b. Quelques participes passés

	[e]	aller → allé	parler → parler	être → été	naître → né	
Participe passé en	**[i]**	finir → fini prendre → pris dire → dit	réussir → réussi comprendre → compris écrire → écrit	partir → parti mettre → mis	suivre → suivi (s') asseoir → assis conduire → conduit	
	[y]	descendre → descendu lire → lu avoir → eu vouloir → voulu falloir → fallu	répondre → répondu venir → venu pouvoir → pu savoir → su pleuvoir → plu	perdre → perdu plaire → plu voir → vu connaître → connu recevoir → reçu	vivre → vécu devoir → dû	battre → battu boire → bu
	autres	faire → fait mourir → mort	ouvrir → ouvert peindre → peint	offrir → offert craindre → craint		

c. L'accord du participe passé

Avec être, le participe passé s'accorde en genre et en nombre avec le sujet.

Ex. : Elle est allée / Ils sont allés / Elles sont allées.

   Elle s'est promenée / Ils se sont promenés / Elles se sont promenées.

19. Le passé composé et l'imparfait

Quand on raconte une histoire au passé, on utilise deux temps :

– le passé composé pour parler des **événements qui se succèdent**. Il permet de mettre en relief des actions.

   Ex. : Ce matin, Anaïs s'est réveillée très tôt. Elle s'est levée à 6 h 15, elle a pris rapidement son petit-déjeuner et elle est partie. Elle a pris le métro.

– l'imparfait pour décrire «le décor», le cadre d'une situation.

   Ex. : Hier, c'était dimanche. Il faisait beau. J'étais assis à la terrasse d'un café, j'attendais un ami.

– le passé composé permet de parler d'un **changement par rapport à une habitude** exprimée à l'imparfait que l'on avait dans le passé.

   Ex. : Quand il était jeune, Paul faisait beaucoup de sport. Un jour, il s'est cassé le pied.

20. L'adverbe de manière en «-ment»

L'adverbe de manière modifie le sens du verbe.

Généralement, pour former un adverbe, on part du **féminin de l'adjectif** et on y ajoute -ment.

Ex. : (adj. fém.) merveilleuse → (adv.) merveilleuse-ment

Au présent de l'indicatif, l'adverbe se place **après le verbe**.

Ex. : Ce romancier écrit merveilleusement !

À propos de la phrase...

21. L'expression de la comparaison

a. Le comparatif

	Une qualité (adjectif, adverbe)	Une action (verbe)	Une quantité (nom)
Supériorité	plus + adjectif/adverbe que On prononce [ply] ou [plyz] pour faire la liaison. ! bon → meilleur(e)(s) ! bien → mieux (invariable)	verbe + plus que On prononce [plys].	plus de + nom que On prononce [plys].
Infériorité	moins + adjectif/adverbe que	verbe + moins que	autant de + nom que
Égalité	aussi + adjectif/adverbe que	verbe + autant que	autant de + nom que

b. Le superlatif

	Supériorité	Infériorité
Une qualité (adjectif, adverbe)	Le verre est le plus fragile. On prononce [ply]. Les vêtements Chanel sont les plus beaux. On prononce [ply]. C'est la plus belle robe de la boutique. On prononce [ply]. ! bon → le/la/les meilleur(e)(s) ! bien → le/la/les mieux ! mauvais(e) → le/la/les plus mauvais(e)(s) – le/la/les pire(s)	Le verre est le moins résistant. Cette robe est la moins chère du magasin. Ces vêtements sont les moins confortables.
Une action (verbe)	C'est lui qui dépense le plus. C'est vous qui sortez le plus. On prononce [plys].	C'est lui qui dépense le moins.
Une quantité (nom)	C'est lui qui a le plus d'argent. C'est vous qui avez le plus de temps. On prononce [plys].	C'est lui qui a le moins d'argent.

Lorsque le superlatif porte sur un adjectif qui se place avant le nom (beau/joli/grand/petit etc.), il y a deux possibilités : C'est la plus belle robe du défilé. = C'est la robe la plus belle du défilé.

22. La phrase négative

a. La forme négative
Pour donner une information négative, on utilise une combinaison de deux mots : ne et pas. La négation porte sur le verbe, et les deux mots se positionnent en général de chaque côté du verbe conjugué.
Attention ! Ne + voyelle ou h → n'

b. Les autres formes de négation
– Tu as encore des problèmes ? Non, je n'ai plus de problèmes.
– Il travaille toujours chez un avocat ? Non il ne travaille plus chez un avocat.
– Elle est déjà allée à Paris ? Non, elle n'est jamais/pas encore allée à Paris.
– Vous connaissez quelqu'un ici ? Non, je ne connais personne.
– Quelqu'un est venu ? Non, personne n'est venu.
– Vous voulez quelque chose ? Non, je ne veux rien.

– Tout est prêt ? Non, rien n'est prêt.

Attention ! Quand **rien** et **personne** sont suivis d'un participe présent ou d'un adverbe, la construction se fait avec **de**.

Ex. : Tu as trouvé quelque chose d'intéressant ? Non, je n'ai rien trouvé d'intéressant.

Pour ce travail, il faut quelqu'un de bien ! Tu ne trouveras personne de bien avec ce salaire-là !

c. La place de la négation

Verbe au présent, imparfait, futur simple	Verbe au passé composé
Elle ne travaille plus.	Il n'a pas écouté.
Vous ne voudrez rien.	Elle n'est jamais allée à Paris.
Ils ne connaissaient personne.	Je n'ai rencontré personne.
Construction avec deux verbes	**Construction avec l'infinitif**
Elle ne veut pas aller au cinéma.	Elle a décidé de ne plus aller chez lui.
Ils ne vont jamais comprendre.	Nous sommes obligés de ne rien dire.
Je ne dois voir personne.	Merci de n'oublier personne.

23. La phrase interrogative

a. Sans mot interrogatif.

On peut poser des questions sans utiliser de mot interrogatif mais avec :
– l'intonation : Vous parlez français ?
– « est-ce que » : Est-ce que vous parlez français ?
– l'inversion (verbe + sujet) : Parlez-vous français ? (plus formel).

b. Avec un mot interrogatif.

On peut également poser des questions avec des mots interrogatifs.

	Familier	Standard	Écrit ou formel
Qui	C'est qui ?		Qui est-ce ?
Que/quoi	Vous faites quoi comme métier ?	Qu'est-ce que vous faites comme métier ?	Que faites-vous comme métier ?
Où	Il habite où ?	Où est-ce qu'il habite ?	Où habite-t-il ?
Quand	Vous partez quand ?	Quand est-ce que vous partez ?	Quand partez-vous ?
Combien	Combien ça coûte ?	Combien est-ce que ça coûte ?	Combien cela coûte-t-il ?
Combien de	Combien de frères et sœurs tu as ?	Combien de frères et sœurs est-ce que tu as ?	Combien de frères et sœurs as-tu ?
Comment	Tu t'appelles comment ?	Comment est-ce que tu t'appelles ?	Comment t'appelles-tu ?
Pourquoi	Pourquoi tu pleures ?	Pourquoi est-ce que tu pleures ?	Pourquoi pleures-tu ?

c. Avec « quel ».

C'est un adjectif. Il s'accorde en genre et en nombre avec le nom qui suit.

	Singulier	Pluriel
Masculin	Quel est votre nom ?	Quels sont vos défauts ?
Féminin	Quelle est votre nationalité ?	Quelles sont vos qualités ?

24. Les articulateurs logiques

– Et sert à relier deux mots, deux groupes de mots ou deux phrases et exprime une addition, un rapprochement. *Ex. :* J'aime le sport et le cinéma.
– Mais introduit une idée contraire à celle qui a été exprimée. *Ex. :* Il parle espagnol, mais pas français.
– Parce que exprime la cause. *Ex. :* Je mange parce que j'ai faim.
– À cause de exprime une cause négative. *Ex. :* À cause de la grève, je suis arrivée en retard.
– Donc/C'est pour cela que expriment une conséquence.
   Ex. : Il n'a pas assez étudié, donc il n'a pas réussi ses examens.
      Je dois conduire, c'est pour cela que je ne bois pas d'alcool.
– Si exprime la condition, l'hypothèse. *Ex. :* Si tu as le temps, passe à la maison.

25. Le discours indirect (ou discours rapporté)

Quand on rapporte les paroles (ou les pensées) de quelqu'un, il y a des modifications du discours.

	Paroles prononcées	Discours rapporté
Une phrase	Il dit : «C'est une belle histoire». Elle pense : «Il est beau !»	Il dit que c'est une belle histoire. Elle pense qu'il est beau.
Une question	Il me demande : «Tu le connais ?» «Quand l'as-tu rencontré ?» «Pourquoi veux-tu partir ?» «Qu'est ce qu'il t'a dit ?»	Il me demande si je le connais. Il me demande quand je l'ai rencontré. Il me demande pourquoi je veux partir. Il me demande ce qu'il m'a dit.
Un ordre	Il dit : «Écoutez-moi !»	Il dit de l'écouter.
Une interdiction	Elle dit : «Ne me regarde pas comme ça !»	Elle dit de ne pas la regarder comme ça.

Attention ! aux adjectifs possessifs et aux pronoms.
Ex. : «Tu viens avec tes enfants ?» → Il me demande si je viens avec mes enfants.
      «Écris-moi» → Elle me demande de lui écrire.
– Quand il y a plusieurs phrases, on répète les éléments de liaison.
   Ex. : «Tu es amoureuse ? Tu l'aimes ?» → Ils me demandent si je suis amoureuse et si je l'aime.
– Il existe beaucoup de verbes introducteurs : dire, demander, expliquer, répondre, déclarer, penser, annoncer, etc.

26. L'expression de la durée

– Pour exprimer une période de temps, on utilise les prépositions de et à.
   Ex. : Le musée est fermé du dimanche soir au mardi matin
– On peut également employer à partir de pour indiquer un point de départ et jusqu'à pour indiquer une limite dans le temps :
   Ex. : Le château est ouvert à partir de mai.
      Ce site se visite jusqu'à 20 h en été.
– Pour exprimer une durée :
   – Pendant indique la durée complète d'une action.
      Ex. : Nous avons visité la Bretagne pendant les vacances d'été.
   – Depuis indique le début de la durée d'une action qui continue au moment où on parle.
      Ex. : Je suis dans cet hôtel depuis le 4 mai / trois jours / mon arrivée.
         Ils n'ont pas téléphoné depuis une semaine / lundi dernier / leur départ.
   – Jusqu'à indique la fin de la durée d'une action.
      Ex. : Je resterai au musée jusqu'à la fermeture.
   – Il y a indique un moment précis.
      Ex. : Tu es arrivé(e) dans cette région il y a deux jours.

Tableau de conjugaison

Infinitif	Présent de l'indicatif	Futur simple	Imparfait	Passé composé
Être Verbe irrégulier	je suis tu es il/elle/on est nous sommes vous êtes ils/elles sont	je serai tu seras il/elle/on sera nous serons vous serez ils/elles seront	j'étais tu étais il/elle/on était nous étions vous étiez ils/elles étaient	j'ai été tu as été il/elle/on a été nous avons été vous avez été ils/elles ont été
Avoir Verbe irrégulier	j'ai tu as il/elle/on a nous avons vous avez ils/elles ont	j'aurai tu auras il/elle/on aura nous aurons vous aurez ils/elles auront	j'avais tu avais il/elle/on avait nous avions vous aviez ils/elles avaient	j'ai eu tu as eu il/elle/on a eu nous avons eu vous avez eu ils/elles ont eu
Aller Verbe irrégulier	je vais tu vas il/elle/on va nous allons vous allez ils/elles vont	j'irai tu iras il/elle/on ira nous irons vous irez ils/elles iront	j'allais tu allais il/elle/on allait nous allions vous alliez ils/elles allaient	je suis allé(e) tu es allé(e) il/elle/on est allé(e) nous sommes allé(e)s vous êtes allé(e)(s) ils/elles sont allé(e)s
Faire Verbe irrégulier	je fais tu fais il/elle/on fait nous faisons vous faites ils/elles font	je ferai tu feras il/elle/on fera nous ferons vous ferez ils/elles feront	je faisais tu faisais il/elle/on faisait nous faisions vous faisiez ils/elles faisaient	j'ai fait tu as fait il/elle/on a fait nous avons fait vous avez fait ils/elles ont fait
Offrir Verbe à 1 base	j'**offr**e tu offres il/elle/on offre nous offrons vous offrez ils/elles offrent	j'offrirai tu offriras il/elle/on offrira nous offrirons vous offrirez ils/elles offriront	j'offrais tu offrais il/elle/on offrait nous offrions vous offriez ils/elles offraient	j'ai offert tu as offert il/elle/on a offert nous avons offert vous avez offert ils/elles ont offert
Se laver Verbe à 1 base	je me **lav**e tu te laves il/elle/on se lave nous nous lavons vous vous lavez ils/elles se lavent	je me laverai tu te laveras il/elle/on se lavera nous nous laverons vous vous laverez ils/elles se laveront	je me lavais tu te lavais il/elle/on se lavait nous nous lavions vous vous laviez ils/elles se lavaient	je me suis lavé(e) tu t'es lavé(e) il/elle/on s'est lavé(e) nous nous sommes lavé(e)s vous vous êtes lavé(e)(s) ils/elles se sont lavé(e)s

Infinitif	Présent de l'indicatif	Futur simple	Imparfait	Passé composé
Choisir Verbe à 2 bases type I	je **chois**is tu choisis il/elle/on choisit nous **choisiss**ons vous choisissez ils/elles choisissent	je choisirai tu choisiras il/elle/on choisira nous choisirons vous choisirez ils/elles choisiront	je choisissais tu choisissais il/elle/on choisissait nous choisissions vous choisissiez ils/elles choisissaient	j'ai choisi tu as choisi il/elle/on a choisi nous avons choisi vous avez choisi ils/elles ont choisi
Attendre Verbe à 2 bases type I	j'**atten**ds tu attends il/elle/on attend nous **attend**ons vous attendez ils/elles attendent	j'attendrai tu attendras il/elle/on attendra nous attendrons vous attendrez ils/elles attendront	j'attendais tu attendais il/elle/on attendait nous attendions vous attendiez ils/elles attendaient	j'ai attendu tu as attendu il/elle/on a attendu nous avons attendu vous avez attendu ils/elles ont attendu
Voir Verbe à 2 bases type II	je **voi**s tu vois il/elle/on voit nous **voy**ons vous voyez ils/elles voient	je verrai tu verras il/elle/on verra nous verrons vous verrez ils/elles verront	je voyais tu voyais il/elle/on voyait nous voyions vous voyiez ils/elles voyaient	j'ai vu tu as vu il/elle/on a vu nous avons vu vous avez vu ils/elles ont vu
Pouvoir Verbe à 3 bases	je **peu**x tu peux il/elle/on peut nous **pouv**ons vous pouvez ils/elles **peuv**ent	je pourrai tu pourras il/elle/on pourra nous pourrons vous pourrez ils/elles pourront	je pouvais tu pouvais il/elle/on pouvait nous pouvions vous pouviez ils/elles pouvaient	j'ai pu tu as pu il/elle/on a pu nous avons pu vous avez pu ils/elles ont pu
Devoir Verbe à 3 bases	je **doi**s tu dois il/elle/on doit nous **dev**ons vous devez ils/elles **doiv**ent	je devrai tu devras il/elle/on devra nous devrons vous devrez ils/elles devront	je devais tu devais il/elle/on devait nous devions vous deviez ils/elles devaient	j'ai dû tu as dû il/elle/on a dû nous avons dû vous avez dû ils/elles ont dû
Tenir Verbe à 3 bases	je **tien**s tu tiens il/elle/on tient nous **ten**ons vous tenez ils/elles **tienn**ent	je tiendrai tu tiendras il/elle/on tiendra nous tiendrons vous tiendrez ils/elles tiendront	je tenais tu tenais il/elle/on tenait nous tenions vous teniez ils/elles tenaient	j'ai tenu tu as tenu il/elle/on a tenu nous avons tenu vous avez tenu ils/elles ont tenu
Pleuvoir Verbe impersonnel irrégulier	il pleut	il pleuvra	il pleuvait	il a plu

Mémento des actes de parole

Dossier 1 : Au fil du temps

● **Interpeller quelqu'un**
- Avez-vous quelques minutes ?
- Excusez-moi/Pardon Madame, vous…
- Dis, tu…
- Coucou ! On est là !

● **Accueillir quelqu'un**
- Bienvenue ! Entrez, je vous en prie ! Asseyez-vous.
- Entre ! Suis-moi ! Mets-toi à l'aise.

● **Approuver**
- Je suis d'accord avec + *nom/pronom tonique.*
  → Je suis d'accord avec toi !
- C'est très bien de + *infinitif.*
  → C'est très bien de faire ça.
- Ils ont raison. Je les comprends.
- Leur comportement est admirable, approprié…
- Je suis pour.

● **Désapprouver**
- Je ne suis pas d'accord avec
  + *nom/pronom tonique.*
  → Je ne suis pas d'accord avec eux !
- Ce n'est pas bien.
- Ils ont tort.
- C'est inadmissible, inacceptable, scandaleux…
- Je ne comprends pas…
- Comment peut-on + *infinitif* ?
- Je suis contre.

● **Féliciter**
- Bravo !
- Hourra !
- Félicitations pour…/Je vous félicite pour…
- Je suis heureux/heureuse pour toi !
- Mes compliments !

Dossier 2 : 64 millions de consommateurs

● **Décrire un objet**
- La couleur : Il est + *couleur* (bleu, vert, rouge…).
  → Il est bleu clair/bleu foncé.
- La forme : Il est + *forme* (carré, rond, rectangulaire, ovale, triangulaire…)
- La matière : Il est en + *matière* (en bois, en cuir, en plastique, en acier, en tissu, en laine, en verre, en papier, en carton, en béton, en or, en argent…)
- La consistance/résistance : Il est dur/mou…
- La taille : Il est grand, de taille moyenne, petit, minuscule.
- L'aspect : C'est un objet bizarre, spécial, particulier.
- L'usage : Ça sert à + *infinitif*/On l'utilise pour + *infinitif.*
  → C'est un truc/une chose/un objet/un outil/ un appareil qui sert à + *infinitif.*

● **Demander des précisions**
→ **Pour un problème**
- Il y a quelque chose que je ne comprends pas, vous pouvez m'expliquer s'il vous plaît ?
- Je peux savoir pourquoi… ?

- Qu'est-ce que je peux faire pour régler ça ?
- Je crois que vous vous êtes trompé(e) sur la facture.
→ **Pour un produit**
- Vous pouvez m'expliquer comment ça marche ?
- Comment on fait pour + *infinitif* ?
- Est-ce que ce modèle existe en noir ?
- Vous avez le même mais plus grand, plus léger… ?

● **Faire une réclamation**
- À qui dois-je m'adresser pour un échange/un remboursement, s'il vous plaît ?
- J'aimerais être remboursé(e).
- J'ai acheté + *nom*, et ça ne fonctionne pas.
- Je vous rapporte cet article parce que…
- J'ai commandé + *nom*, mais j'ai reçu + *nom.*
- Il doit y avoir une erreur !

● **Demander des informations**
- Je voudrais des renseignements sur + *nom.*
- Pourrais-je avoir des informations sur + *nom* ?
- Qu'est-ce que je peux faire pour + *infinitif* ?

● **Émettre un jugement**

Apprécier
- Joli ! Génial ! Super ! Bien !
- C'est pas mal !
- C'est + *adj. masc.*
  → C'est parfait ! C'est magnifique !
- J'aime (bien) + *nom/infinitif*.
- J'adore + *nom/infinitif*.
- Ça me plaît.
- J'aime mieux + *nom/infinitif*.
  → J'aime mieux ce peignoir blanc./J'aime mieux acheter bio.
- Je préfère + *nom* à + *nom*
  → Je préfère le rose au vert.
- Ça me va (pour un vêtement).

Ne pas apprécier
- Affreux ! Nul ! Ridicule !
- Bof…
- C'est + *adj. masc.*
  → C'est laid ! C'est moche !
- Je déteste + *nom/infinitif*.
- J'ai horreur de + *nom/infinitif*.
- Ça ne me plaît pas.

- Ça ne me va pas (pour un vêtement).

Dossier 3 : Médias.fr

● **Exprimer son intention**
- J'ai l'intention de/J'ai décidé de + *infinitif*.
- Je pense/Je veux + *infinitif*.
- C'est décidé, je…

● **Interroger sur un événement**
- Que se passe-t-il ?/Qu'est ce qui se passe ?
- Qu'est ce qui s'est passé ?
- Vous savez ce qui s'est passé ?
- Vous avez vu/entendu quelque chose ?

● **Exprimer la surprise/l'intérêt pour ce que dit quelqu'un**
- Ah bon ?/(Ce n'est) pas possible !
- Vraiment ?/Ça alors !
- Ce n'est pas vrai !/Ah ! Je n'étais pas au courant !

● **Engager une conversation**
- Je vous dérange ? Je voudrais vous demander quelque chose.

- Je peux te parler ?
- Dis donc,…
- Au fait,…

● **Terminer une conversation**
- Bon, eh bien, excusez-moi mais je dois m'en aller/je suis obligé(e) de partir.
- Je te laisse.
- On se téléphone ?
- On se revoit lundi ?

● **Annoncer une nouvelle**
- Tu connais la nouvelle ?
- J'ai une bonne nouvelle à vous annoncer !
- Tu sais que Marc s'est marié ?
- Figurez-vous que…
- Vous êtes au courant ? Il y a eu…
- Tu sais quoi ? Eh bien,…

Dossier 4 : Habitants des villes ou des champs ?

● **Exprimer une plainte/son mécontentement**
- Ça ne va pas.
- J'en ai assez !
- J'en ai assez de + *nom*.
- J'en ai assez de + *infinitif*.
- J'en ai marre ! (familier)
- J'en ai marre de + *nom* (familier)
- J'en ai marre de + *infinitif* (familier)
- Je suis furieux/furieuse.
- Arrêtez !/Arrête !/Ça suffit !
- Ce n'est plus possible !

- C'est insupportable !
- Ça ne peut plus durer !
- Ça ne peut pas continuer !

● **Répondre à une plainte**
- Je suis vraiment désolé(e).
- Je comprends, c'est entendu…
- Veuillez nous excuser, cela ne se reproduira plus.
- Nous allons trouver une solution.
- Je vais voir ce que je peux faire.

Mémento des actes de parole

● **Décrire un paysage**
– C'est un paysage magnifique.
– Sur la photographie/le tableau, on devine une montagne/une colline.
– Au loin, on aperçoit la mer/l'océan.
– Au premier plan, on voit des arbres/une forêt.
– C'est un paysage de campagne avec des champs/des prés/des animaux…
– Sur la gauche, il y a une rivière.
– Le chemin part du village et traverse un champ.

● **Exprimer une distance/une durée**
– Il habite loin/près. C'est à 10 kilomètres d'ici.
– C'est loin de la gare/(tout) près de la gare.
– Je mets 10 minutes à pied pour y aller.
– Il faut 1 heure en voiture pour y aller.

● **Demander son chemin**
– Pourriez-vous m'indiquer où se trouve…, s'il vous plaît?
– Vous savez où est la bibliothèque?
– Pour aller à Mulhouse?
– Je cherche le cinéma Rex./Je ne trouve pas la patinoire.
– Je suis perdu(e).

● **Indiquer un itinéraire**
– Vous prenez la première à droite.
– Vous continuez tout droit.
– Vous tournez à droite/à gauche.
– Vous passez devant l'église.
– Vous traversez la rivière. Vous longez la Seine.
– Vous suivez la direction « Dijon ».

Dossier 5 : Cultivons nos plaisirs !

● **Proposer/inviter**
– Si + *sujet* + *verbe à l'imparfait*?
  → Si on allait au cinéma?
– On pourrait + *infinitif*?
  → On pourrait aller au musée?
– Ça te dit/Ça vous tente (de/d' + *infinitif*)?
  → Ça te dit d'aller à ce concert?
– Ça te dit + *nom*?
  → Ça te dit un ciné?

● **Accepter/refuser/reporter une invitation**
– C'est une (très) bonne idée!/Avec plaisir!
– Je vous remercie pour votre invitation mais…
– C'est gentil mais…/Je suis désolé(e) mais…
– Je ne suis pas disponible./Je suis trop fatigué(e).
– J'ai déjà un engagement./J'ai déjà prévu quelque chose.
– Je préférerais une autre date.

● **Annuler un rendez-vous**
– Je ne peux pas venir, on remet notre rendez-vous à plus tard?
– Je suis désolé(e) mais je dois annuler notre rendez-vous.
– J'ai un empêchement, je voudrais annuler mon rendez-vous.

● **Exprimer un dégoût**
– C'est dégoûtant!
– Bah! Ça me dégoûte!
– C'est infect! Beurk! Pouah!

● **Donner/demander un avis sur un spectacle**
– C'était comment?
– Comment as-tu trouvé + *nom*?
– Vous avez aimé le concert?

Dossier 6 : Les autres et moi

● **L'obligation et l'interdiction**

→ **obliger**	→ **interdire**
devoir + *infinitif*	ne pas avoir le droit de
il faut + *infinitif*	il est interdit de

● **S'excuser/demander pardon**
– Pardon! Je vous/te demande pardon.
– Désolé(e)/Je regrette.
– Toutes mes excuses.
– Je vous/te prie de m'excuser.
– Excusez-moi pour ce retard./Excuse-moi!

● **Demander de l'aide**
– Au secours! À l'aide! Vous pouvez m'aider, s'il vous plaît?
– J'ai besoin de…
– Tu pourrais me donner un coup de main?

● **Réconforter quelqu'un**
– Ne t'inquiète pas!/Ne t'en fais pas!
– Tout va s'arranger./Ça va aller!
– Ce n'est pas grave!/Ce n'est rien!
– Courage!
– Tu verras, la prochaine fois, ça se passera mieux!
– C'est dommage!

Dossier 7: Douce France...

● **Demander des informations touristiques**
– Je voudrais un plan de la ville/les horaires
  des bus/le dépliant du musée/la brochure du
  théâtre/le programme des animations...
– Pouvez-vous me donner des renseignements sur
  les possibilités d'hébergement?
– Qu'est-ce que vous me conseillez?
– Est-ce que vous savez s'il y a...?
– Pourriez-vous me dire si...?/Je voudrais savoir si...

● **Exprimer son point de vue**
– ... parce que...
– ... donc...
– Vous devez/Tu dois + *infinitif*.
– Je suis certain que + *indicatif*.
– C'est pour cette raison que...

● **Insister**
– Croyez-moi!/Crois-moi!
– Je vous/t'assure! Je vous/t'assure que + *indicatif*.
– C'est évident!

● **Demander si on se souvient**
– Tu te souviens? Vous souvenez-vous de + *nom*?

● **Conseiller**
– Tu pourrais/Vous pourriez visiter ce musée.
– Tu devrais/Vous devriez visiter ce château!

● **Demander une autorisation**
– Est-ce que ça te/vous dérange
  si + *sujet* + *verbe*.
  → Est-ce que ça vous dérange si j'ouvre
    la fenêtre?

Dossier 8: Sur le chemin des mots

● **Demander de répéter/de préciser**
– Qu'est-ce que tu dis?/Qu'est-ce que vous dites?
– Pardon? Je n'ai pas entendu...
– Pourriez-vous/pouvez-vous répéter s'il vous plaît?

● **Dire qu'on comprend/qu'on ne
  comprend pas**
– Ah! D'accord!
– Je comprends (tout à fait ce que vous dites).
– Je ne suis pas sûr(e) de comprendre.

– Désolé(e) mais je ne comprends pas
  (de quoi vous parlez).
– Qu'est-ce que vous voulez dire?

● **S'assurer que son interlocuteur
  a bien compris**
– Tu vois?/Vous voyez?
– Tu comprends?/Vous comprenez?
– C'est clair?

Annexes

● **Écrire une lettre amicale**
→ **Formules d'appel**
– Cher (+ *prénom masculin*)/Chère (+ *prénom
  féminin*)/Chers (+ *pluriel*)
→ **Formules de politesse**
– Amitiés/Amicalement/À bientôt

● **Écrire une lettre personnelle**
→ **Formules d'appel**
– Mon chéri/Ma chérie/Mon amour/Mon trésor
→ **Formules de politesse**
– Je t'embrasse/Je vous embrasse
– (Grosses) bises/(Gros) bisous

● **Écrire une lettre formelle**
→ **Formule d'appel**
Madame, Monsieur,
→ **Formule de politesse**
– Veuillez agréer, Madame, Monsieur,
  mes salutations distinguées.

● **Écrire une lettre de félicitations**
– Je viens d'apprendre que...
– Je voudrais vous féliciter pour...
– Je voudrais exprimer mes félicitations à...

● **Rédiger une définition**
– C'est un objet/une personne qui/que...
– Ça sert à + *infinitif*.
– C'est un endroit où...
– Ce verbe signifie: + *infinitif*.

Tableau des contenus

	Dossier 1 Au fil du temps page 5	Dossier 2 64 millions de consommateurs page 17	Dossier 3 Médias.fr page 29	Dossier 4 Habitants des villes... page 41
Communication	• Approuver ou désapprouver un comportement • Féliciter • Parler de sa santé • Accueillir/interpeller	• Décrire un objet • Évaluer une chose • Ouvrir un compte à la banque • Demander des informations/ des précisions • Faire une réclamation	• Parler de l'avenir • Exprimer une intention • Parler des médias • Engager/terminer une conversation • Interroger sur un événement • Annoncer une nouvelle	• Décrire un paysage • Se plaindre (de ses voisins) • Parler des avantages/ des inconvénients de la ville/de la campagne • Exprimer une distance • Acheter un billet • Demander/indiquer un itinéraire
Grammaire	• Le présent (révision) • Les prépositions et les verbes • Les pronoms possessifs • Les verbes réciproques	• Le pronom « en » • La place de l'adjectif • Le présent progressif • Le passé récent • Le futur proche • Le comparatif et le superlatif	• Le futur simple • L'hypothèse sur le futur • Les formes de la négation • Les pronoms compléments directs et indirects	• L'imparfait • L'interrogation • Le pronom « y » • Les valeurs de « on »
Vocabulaire	• Les générations • La santé • Le sport	• L'argent et la banque • Les styles vestimentaires	• La presse • L'informatique et Internet • La télévision	• La nature • Les animaux • Les nuisances de la ville
Aspects culturels	• L'évolution de la société • La génération des trentenaires • Le sport en France	• Les Français et l'argent • Les astuces pour dépenser moins • Le e-commerce • La contrefaçon	• Les Français et la presse • Les Français et Internet • L'humour dans les médias • La télévision des Français	• Les nouveaux animaux de compagnie • Les villes et les villages • Les styles d'habitat en France • Portrait de l'architecte Jean Nouvel
Découverte d'une profession	• Carole, psychologue	• Gilles, maraîcher	• Bill Debruge, animateur radio	• Antoine, architecte
Phonétique	• La prononciation des verbes au présent • La prononciation des pronoms possessifs	• La liaison avec « en » • La prononciation de « plus »	• La chute du « e » au futur simple • Le rythme • L'opposition [ʀ] / [l]	• L'opposition présent/ imparfait • Le son [ɛ]

Dossier 5 Cultivons nos plaisirs! page 53	Dossier 6 Les autres et moi page 65	Dossier 7 Douce France... page 77	Dossier 8 Sur le chemin des mots... page 89
Proposer, inviter Accepter, refuser, reporter une invitation Parler de ses loisirs et de ses pratiques culturelles Annuler un rendez-vous Demander/donner un avis sur un spectacle Exprimer un dégoût	● Écrire une lettre personnelle ● Exprimer l'obligation ● Exprimer l'interdiction ● Exprimer des sentiments ● S'excuser/demander pardon ● Demander de l'aide ● Réconforter quelqu'un	● Demander des informations touristiques ● Exposer son point de vue et insister ● Conseiller ● Se souvenir ● Demander une autorisation	● Comprendre et rédiger une définition ● Comprendre le langage texto ● Différencier le français oral du français écrit ● S'assurer que son interlocuteur a bien compris ● Demander de répéter/ de préciser
Les adjectifs et pronoms démonstratifs Les articulateurs logiques	● L'adjectif et pronom sujet «tout» ● Les pronoms compléments à l'impératif ● Le discours indirect au présent	● Les pronoms relatifs qui/ que/où ● Le passé composé (révision) ● L'expression de la durée ● L'opposition passé composé /imparfait	● La formation de l'adverbe de manière ● La formation des mots
La cuisine Le cinéma, le théâtre La littérature	● L'amour ● L'amitié	● La géographie et l'histoire ● L'organisation politique et administrative	● Le français familier, standard et soutenu ● Le langage texto ● Les emprunts du français
La cuisine d'Outre-mer Les petits plaisirs La bande dessinée Le théâtre	● Le langage des couleurs ● Les mots doux des Français ● Les histoires d'amour préférées des Français ● La proxémie	● La France administrative ● Les symboles de la France ● Le tourisme ● Les langues régionales en France	● Les jeux sur la langue ● L'évolution du français ● La francophonie
Claire, sommelière	● Didier, directeur d'une agence de rencontres	● Véronique, propriétaire d'une maison d'hôtes	● Valérie Tissot, linguiste
Le son [ɥi] L'opposition [a] / [ɑ̃] L'opposition [ɛ̃] / [ɑ̃]	● L'opposition [o] / [ɔ̃] ● La prononciation de «tout» ● L'intonation de la dispute	● L'opposition passé composé/imparfait ● L'opposition [e] / [ɛ] ● L'intonation	● La prononciation et la graphie du «e» avec accent ● Les marques de l'oral

Plages du CD

Crédits

Fotolia : 5 © Pavel Losevsky ; 6 © DX ; 7 ; © Monkey Business ; 12 g © Charly ; 13 hg © christian villes ; 13 hd © Jean-Michel Leclercq ; 13 mg © sportgraphic ; 13 md © Arthur Shevel ; 13 bg © Michael Smith : 13 bd © Goran Bogicevic ; 15 hg © Mat Hayward ; 15 hm © absolute ; 15 hd © Andres Rodriguez ; 16, 28, 40, 52, 64, 76, 88, 10 © Michael Nivelet ; 19 b1 © arquiplay77 ; 19 b2 © Irochka ; 19 b3 © Agita Leimane ; 19 b4 © Cornelius ; 23 g, 43 m3, 71 hg, 71 hd © Nimbus ; 24 © Michaël BICHE ; 27 hg © Alexey Klementiev ; 27 hm © Ivan Dyachkoff ; 27 hd © Xalanx ; 27 b © Robert Cocquyt ; 31 m © 5ugarless ; 32 hg © shocky ; 32 hd © Fotolia XXII ; 33 hg © Yannick Bisson ; 33 hm © lilufoto ; 33 hd © DWP ; 33 bg © Emmanuel MARZIN ; 33 bm © chris32m ; 33 bd © Kitch Bain ; 35 © julien tromeur ; 36 © arkna ; 39 hg © Flexograf ; 39 hm © Sabphoto ; 39 hd © Alexander Raths ; 43 m2 © Beboy ; 44 bd © pf30 ; 45 h1 © Monique Pouzet ; 45 h2 © Paul Laroque ; 45 h3 © free_photo ; 45 h4 © Photofranck ; 45 h5 © Jean-Michel POUGET ; 45 h6 © Com Evolution ; 45 bg © Tartopom ; 45 bd © Gilles Paire ; 48 bd © tibbbb ; 49 m © Secret Side ; 49 hg © N. Parneix ; 49 hd © bobroy20 ; 49 mg © tsach ; 49 hd © Jean-Luc Griere ; 49 bg © Jessica Blanc ; 49 bm © thierry planche ; 49 bd © Tilio & Paolo ; 51 hg © poco_bw ; 51 hm © Thomas Berg ; 51 hd © Adam Borkowski ; 51 b © herreneck ; 53 © Aldo Zardini ; 46 mg © Marie-Thérèse GUIHAL ; 46 hm © hannamonika ; 46 hg © cris13 ; 46 md © Vladimir Melnikov ; 55 b © benamalice ; 56 hg © Tatiana GENICQ ; 56 hd © Pierre Yves Lestrat ; 56 mg © riko23 ; 56 md © Brek ristoranti ; 59 © bsilvia ; 63 hg © Aramanda ; 63 hm © Milan Ljubisavljevic ; 63 hd © EastWest Imaging ; 63 b © Patrick J. ; 65 © Lotfi Mattou ; 66 © Julien Eichinger ; 67 h© pdesign ; 68 b © anna ; 69 hg, 69 hd © El Gaucho ; 73 © bsilvia ; 75 hg © ChantalS ; 75 hm © Mehmet Dilsiz ; 75 hd © Susan Stevenson ; 77 © Mamoda ; 79, 79 toque © studiogriffon.com ; 79 chope © Alexander Potapov ; 79 pomme © Elektra ; 79 château © Tian ; 79 arène © nikla ; 79 tour Eiffel © Carole Mineo ; 79 drapeau © Gino Santa Maria ; 79 grappe © MD ; 79 skieur © rémy vallée ; 79 parasol © Djiny ; 79 plongeur © Jerome Moreaux ; 80 h5v © sebastien montier ; 81 hm © david debray ; 81 hd © Danielle Bonardelle ; 81 mg © Guillaume Besnard ; 81 md © fanfan ; 84 hg © luxpainter ; 84 hm © Gilles Paire ; 84 bg © Serge Ramelli ; 84 bm © alternative photo ; 84 hd © farfouiller ; 85 © Kaarsten ; 87 hg © Elenathewise ; 87 hm © creative studio ; 87 hg © ChantalS ; 89 © Boguslaw Mazur ; 91 hd © RatShot ; 92 h © maconga ; 93 mg 5057918 © sashpictures ; 93 md © PASQ ; 93 bg © ness34 ; 93 bd © ktsdesign ; 99 hg © Gino Santa Maria ; 99 hm © iofoto ; 99 hd © Jaimie Duplass ;129 © Nicolas D – **Studio Bizart** : 29 – **Fabienne Nugue** : 14 g ; 14 d ; 26 g ; 50 g – **Thierry Hegelmann** : 62g ; 62d ; 74 d – **Divers** : 10 © Lasserpe ; 12 m © Jean-Claude Seine ; 12 d © AFP ; 17 © Maron Bouillie ; 21 b1 à b4 © Lydie Ginestet ; 22 © 60 Millions de consommateurs/Hors série n° 138/juillet-août 2008 ; 25 © Union des fabricants 2009 ; 26 d ; 31 d © Didier Pallagès ; 32 b1 © Historia ; 32 b2 © Voici ; 32 b3 ©2008, Challenges ; 32 b4 © L'Équipe ; 32 b5 © Femme actuelle ; 38 g © Franz Massard ; 38 d © Franz Massard ; 39 b © Aurore Peuffier ; 41 © CitéCréation d'après Florence Cestac ; 43 h © Musée de Grenoble ; 44 bg Céleste Mouline ; 48 b © Ville de Saint-Tropez, Jean-Louis Chaix ; 50 © agence Félix Faure ; 55 hd © Chalon dans la rue/A. van Wynsberghe ; 55 md © Renaud Corlouer ; 56 b1 © C&C Hatier ; 56 b2, 56 b4 © Gallimard ; 56 b3 © Hachette ; 57 bg © Haut et Court ; 57bd, 61 hg © Diaphana Distribution ; 58 © Charb ; 61 hd © Titeuf, Tome 7, Le miracle de la vie, par Zep, Éditions Glénat, 1998 ; 61 b © Dupuy & Berberian/3e ART+ ; 70 © Tignous ; 74 g © Unicis ; 75 b © ApoteoSurprise ; 79 b, 80 h1, 80 h2, © Wikimedia commons ; 80 h3 © Pierre gencey/Wikimedia commons ; 80 h4 © Al2. Translation by Berrucomons/Wikimedia commons/Licence GNU http://commons.wikimedia.org/wiki/Commons:GNU_Free_Documentation_License ; © 2004 by Tomasz Sienicki/Wikimedia commons/Licence GNU ; 81 mm © Service Audiovisuel du Palais de l'Élysée/L. Blevennec ; 86 © La ferme du marais ; 87 b © Rempart ; 91 hm © Crédit Mutuel ; 94 © Mikael Bodlore-Penlaez ; 97 © Ministère de la Communauté française de Belgique/Service de la langue française ; 98 © Valérie Tissot ; 99 b © Isabelle Gatzler.